GERMAN BALLADS

PRENTICE-HALL GERMAN SERIES

Karl S. Weimar, Editor

GERMAN BALLADS

edited by

Ernest J. Leo
*The City College
of the City University
of New York*

PRENTICE-HALL, INC.   *Englewood Cliffs, New Jersey*

PRENTICE-HALL INTERNATIONAL, INC., *London*
PRENTICE-HALL OF AUSTRALIA, PTY. LTD., *Sydney*
PRENTICE-HALL OF CANADA, LTD., *Toronto*
PRENTICE-HALL OF INDIA (PRIVATE) LTD., *New Delhi*
PRENTICE-HALL OF JAPAN, INC., *Tokyo*

Current printing (last digit): 10   9   8   7   6   5   4   3   2

Library of Congress Catalog Card No.: 66-17168

Printed in the United States of America
C-35400

Acknowledgments

Grateful acknowledgment is made to the following publishers for permission to reprint certain poems in this anthology:

Alfred A. Knopf, Inc., for permission to reprint "Edward" from Walter de la Mare, *Come Hither* (New York: Alfred A. Knopf, Inc., 1960).

Atrium Verlag for permission to reprint the three ballads by Erich Kästner from *Gesammelte Schriften* (Zürich: Atrium Verlag A.G., 1959). Copyright by Atrium Verlag, Zürich.

Verlag Heinrich Ellermann for permission to reprint "Robespierre" from Georg Heym, *Dichtungen und Schriften* (Hamburg & Munich: Verlag Heinrich Ellermann, 1964).

Insel-Verlag for permission to reprint "Die Beiden" from Hugo von Hofmannsthal, *Gedichte* (Frankfurt am Main: Insel-Bücherei, n.d.).

Hermann Luchterhand Verlag GMBH for permission to reprint "Die Ballade von der Schwarzen Wolke" from Günter Grass, *Gleisdreieck* (Darmstadt, Berlin & Neuwied: Hermann Luchterhand Verlag GMBH, 1960).

Suhrkamp Verlag for permission to reprint the three ballads by Bertolt Brecht from *Gedichte* (Frankfurt am Main: Suhrkamp Verlag, 1960-61).

Table of Contents

Contents

Contents

Introduction

Ballads are essentially song-poems that tell a story. Although their ultimate origins are obscure, it is generally agreed that they are a product of the European Middle Ages. The term itself derives from the Provençal verb *balar* (to dance), and there is evidence that the early medieval *balada* was actually danced to, or at least rhythmically chanted. Certainly the musical aspect of the genre has remained to this day, and the verse forms of these dance-songs may also have influenced the structure of the late-medieval short narrative poem, which represents the true beginning of the ballad as a literary form. For it is primarily the narrative quality of ballads which interests the contemporary reader. Their perennial fascination lies in the tales they unfold—tales of heroic deeds, faithful and unfaithful love, violent domestic crisis, outlawry, murder, demon lovers, ghosts and fairy enchantment, all the recurrent and traditional themes of balladry which have their roots far back in the world of the heroic epic, the fairy tale, and even magic incantations.

In German as in English literature it is customary to distinguish between the *Volksballade* (popular or folk ballad) and the much later phenomenon, the *Kunstballade* (literary or art ballad), composed by a modern author. We know today that the popular ballads of the late Middle Ages also had their individual authors and were not spontaneous creations of the people. But the names of their originators have been lost, and they can be considered "folk" ballads in that they were written with the tastes and interests of a popular audience in mind. In Germany the period between the fourteenth and sixteenth centuries constitutes the great age of the traditional ballad. Many of these poems show the influence of the art of the earlier minstrel lays and have as their themes historical events which captured the popular imagination—momentous battles and encounters between kings and princes. Others, such as "Herr von Falkenstein," relate a down-to-

1

earth story of constant love against a backdrop of the vanishing courtly world and the rise of the new middle class.

For approximately a century and a half (1600-1750) popular poetry of this type lay virtually neglected and ignored, above all by the literary figures of the aristocratic Age of Reason, who considered its content and style vulgar and even semibarbaric. Not until the middle of the eighteenth century did it again come into its own, partially through an indirect impetus from England. Bishop Percy's *Reliques of Ancient English Poetry*, the first extensive compendium of traditional English and Scottish ballads, appeared in 1765. The collection was enthusiastically received by the younger writers of the budding Storm and Stress movement in Germany and pointed the way for similar efforts. In 1778 the critic Johann Gottfried Herder (1744-1803), a prophet of the return-to-nature movement and staunch advocate of the study of ethnic literature, published his *Volkslieder* and gave the world the term "folk song." The later title of this collection, *Stimmen der Völker in Liedern*, more clearly indicates its scope; side by side with German songs and ballads we find translations of English, Danish, French, Spanish, and even Estonian and Latvian folk poetry. Herder's rendering of the Scottish ballad "Edward" is particularly well known; an examination of the poem will make clear some of the main features of the popular ballad. (An English version of the Scots original is printed here.)

EDWARD

> Dein Schwert, wie ist's von Blut so rot?
>   Edward, Edward!
> Dein Schwert, wie ist's von Blut so rot
>   Und gehst so traurig her?—O!
> 5 O, ich hab' geschlagen meinen Geier tot,
>   Mutter, Mutter!
> O, ich hab' geschlagen meinen Geier tot,
>   Und keinen hab' ich wie er—O!

> *"Why does your brand so drop wi' blood,*
> *   Edward, Edward,*
> *Why does your brand so drop wi' blood,*
> *   And why so sad go ye O?"*

2

5   *"O I have killed my hawk so good,*
        Mother, mother,
     O I have killed my hawk so good,
        And I had no more but he O."

    Dein's Geiers Blut ist nicht so rot,
10   Edward, Edward!
    Dein's Geiers Blut ist nicht so rot,
       Mein Sohn, bekenn' mir frei—O!
    O, ich hab' geschlagen mein Rotroß tot,
       Mutter, Mutter!
15   O, ich hab' geschlagen mein Rotroß tot,
       Und's war so stolz und treu—O!

       "Your hawk's blood was never so red,
      10   *Edward, Edward,*
       Your hawk's blood was never so red,
         My dear son I tell thee O."
       "O I have killed my red-roan steed,
         Mother, mother,
      15   *O I have killed my red-roan steed,*
        That erst was so fair and free O."

    Dein Roß war alt, und hast's nicht not,
       Edward, Edward!
    Dein Roß war alt, und hast's nicht not,
20   Dich drückt ein ander Schmerz—O!
    O, ich hab' geschlagen meinen Vater tot,
       Mutter, Mutter!
    O, ich hab' geschlagen meinen Vater tot,
       Und weh, weh ist mein Herz—O!

       "Your steed was old, and ye have got more,
        Edward, Edward,
       Your steed was old, and ye have got more,
      20   *Some other grief you bear O."*
       "O I have killed my father dear,
        Mother, mother,
       O I have killed my father dear,
        Alas, and woe is me O!"

25   Und was für Buße willt du nun tun?
       Edward, Edward!

Und was für Buße willt du nun tun?
  Mein Sohn, bekenn' mir mehr—O!
Auf Erden soll mein Fuß nicht ruhn,
30   Mutter, Mutter!
Auf Erden soll mein Fuß nicht ruhn,
  Will gehn fern übers Meer—O!

25   *"And what penance will ye do for that,*
       Edward, Edward?
     And what penance will ye do for that?
       My dear son, now tell me O."
     "I'll set my foot in yonder boat,
30   *Mother, mother,*
     I'll set my foot in yonder boat,
       And I'll fare over the sea O."

Und was soll werden dein Hof und Hall'?
  Edward, Edward!
35 Und was soll werden dein Hof und Hall'?
  So herrlich sonst und schön—O!
Ich laß es stehn, bis es sink' und fall',
  Mutter, Mutter!
Ich laß es stehn, bis es sink' und fall',
40   Mag nie es wieder sehn—O!

     "And what will ye do wi' your towers and your hall,
       Edward, Edward?
35   *And what will ye do wi' your towers and your hall,*
       That were so fair to see O?"
     "I'll let them stand till they down fall,
       Mother, mother,
     I'll let them stand till they down fall,
40   *For here never more may I be O."*

Und was soll werden dein Weib und Kind?
  Edward, Edward!
Und was soll werden dein Weib und Kind,
  Wann du gehst über Meer?—O!
45 Die Welt ist groß, laß sie betteln drin,
  Mutter, Mutter!
Die Welt ist groß, laß sie betteln drin,
  Ich seh' sie nimmermehr—O!

4

> *"And what will ye leave to your bairns and your wife,*
> > *Edward, Edward?*
> *And what will ye leave to your bairns and your wife,*
> > *When ye go over the sea O?"*
> 45 *"The world's wide, let them beg their life,*
> > *Mother, mother,*
> *The world's wide, let them beg their life,*
> > *For them never more will I see O."*

Und was willt du lassen deiner Mutter teu'r?
50   Edward, Edward!
Und was willt du lassen deiner Mutter teu'r?
      Mein Sohn, das sage mir—O!
Fluch will ich Euch lassen und höllisch Feu'r,
      Mutter, Mutter!
55 Fluch will ich Euch lassen und höllisch Feu'r,
      Denn Ihr, Ihr rietet's mir!—O!

> *"And what will ye leave to your own mother dear,*
> 50   *Edward, Edward?*
> *And what will ye leave to your own mother dear?*
> > *My dear son, now tell me O."*
> *"The curse of hell from me shall ye bear,*
> > *Mother, mother,*
> 55 *The curse of hell from me shall ye bear,*
> > *Such counsels ye gave to me O."*

Immediately apparent is the relative brevity and marked direct-
ness of the narrative, which centers on a single striking event. The
listener or reader is plunged into the situation *in medias res;* there
is only little or sometimes no allusion to what has gone on before.
In the body of the narrative we find ourselves moved along episodi-
cally in abrupt leaps and bounds, unhindered by extensive descrip-
tion. The story thus unfolds rapidly and tersely, in dialogue or simple
action, with virtually no sense of a narrator's or individual author's
presence. By means of "incremental repetition," significant variation
within a repeated pattern (in this case, the constant questioning of
the mother), the story line is carried forward with mounting tension
to its dramatic close. This "surprise ending" is not necessarily typical
of all ballads, but many of them are structured toward a *pointe*, a
sudden, unexpected final twist. In style the language is simple and

unembellished; in place of complicated metaphor we find frequent repetition of significant words (*geschlagen, bekenn'*) and the use of paired expressions that have basically the same meaning (*Hof und Hall', sink' und fall'*). Other set formulas of the popular ballad are rhyme and the employment of the refrain (*"Edward, Edward"*), suggestive of the "dance-song" origins of the genre. This lyric effect combines with equally dominant epic and dramatic qualities to produce a narrative poem in which the basic tone is often, although not inevitably, tragic. The meter of the popular ballad is also distinguished by its simplicity. The usual stanza form is a quatrain of alternating four- and three-stress lines with an abcb rhyme-scheme, as in "Herr von Falkenstein," but the rhyming couplets of "Edward" are almost equally common.

Many of the conventions of the folk ballads carried over into the later literary ballads they inspired. This is clearly evident in Bürger's "Lenore" (1773), which marks the beginning of the *Kunstballade* in German literature. Here all the suspense which the ballad-stanza can evoke is successfully sustained over many lines. Ultimately, however, the main difference between the popular and the literary ballad is not one of length or imitation, but rather of increased sophistication in the handling of such established techniques as dialogue-form, repetition, and refrain. In a few short years the tale of the demon lover who carries his bride with him to the grave had captured the imagination of all Europe and established itself as a landmark in the history of ballad poetry. Bürger's own proud boast that "all those who wrote ballads after him would of necessity be his liegemen" is true—with one notable exception.

The young Goethe, under the tutelage of Herder, had already in the early 1770's become fascinated with popular poetry and on his travels gathered samples of old folk songs and ballads, among them "Herr von Falkenstein." Goethe's own adaptations and individual creations in the genre echo the tone and style of their models, but at the same time transcend them in depth of feeling and subtlety of execution. In "Der König in Thule," the goblet, a traditional piece of stage property of the folk ballad, takes on profound symbolic meaning, and "Erlkönig" is a masterpiece of emotional compression in comparison with its inspiration, the Danish ballad "Herr Olof." Because of their innate lyrical and dramatic qualities these and similar

Introduction

Kunstballaden were frequently given musical settings by nineteenth century composers of *Lieder* (art songs). In later years Goethe turned away from the dynamic style of his "Storm and Stress" period to ballad writing of a more reflective nature. In 1797-1798 he entered into friendly competition with his fellow poet Schiller in the writing and theoretical discussion of ballads. The products of the *Balladenjahr*, as it is called, tend to show a more rigidly restrained form and are *Ideenballaden* in that they usually focus on a central ethical idea. Schiller's "Der Handschuh," with its rhetorical style and implicit moral, is a representative example of this cooperative effort of German Classicism.

In the Romantic period immediately following, the spontaneity and vitality of the ballad-form was revived with the publication of Arnim and Brentano's anthology of folk poetry, *Des Knaben Wunderhorn* (1806-1808). The hundreds of German songs and ballads gathered here constitute a counterpart to the fairy-tale collection of the Brothers Grimm. Individual writers of Romanticism renewed their interest in the national poetic heritage and wrote "popular" ballads so deceptively genuine and "artless" in their style that they have virtually become folk songs today. This is the case with Uhland's "Der Wirtin Töchterlein" and Eichendorff's "Das zerbrochene Ringlein." The sheer virtuosity of the Romantic ballad writer is seen in Arnim and Brentano's "Lenore." Although designated as the source of Bürger's poem, this simple "folk ballad" was actually composed by the anthologists themselves. To Brentano we also owe the creation of the legend of the Lorelei, which, contrary to common belief, had not previously existed as popular myth. Heine was to give the theme its final well-known form, but both Brentano's initial poetic invention and Eichendorff's transmutation of the maiden on the Rhine into a sinister forest-sorceress are equally powerful ballads. A pronounced interest in the supernatural and a remote, poeticized medieval past, together with an emphasis on the more lyrical aspects of the genre, characterize ballad writing in the Romantic age.

In the later nineteenth century, form and occasionally subject matter of the ballad become freer in the hands of individual authors. Platen writes his haunting evocation of the burial of the Germanic chieftain Alaric in long trochaic lines, and Fontane treats a contemporary event, a railroad accident, in his "Die Brück' am Tay."

7

In Meyer's "Die Füße im Feuer" we find impressionistic and even expressionistic stylistic features, as well as a more subtle use of psychology and symbolic suggestion. Yet by the turn of the century the genre essentially had become exhausted and sterile; most of the practitioners of the form at the time were epigones who still wore the traditional trappings of the balladeer, but showed little originality in their efforts. Hofmannsthal's "Die Beiden" represents a last successful *fin de siècle* attempt to reevoke a world of the past in a few concise strokes.

In the opening decades of the new century a younger generation of writers, the Expressionists, violently rebelled against many of the outworn literary conventions handed down to them by their elders and from a predominantly subjective standpoint sought to communicate in their lyric poetry the inwardly essential, typical, and universal aspects of man and the human condition. As a consequence, ballad writing, with its stress on the unique, isolated, and oftentimes historically fixed incident, was virtually neglected in the period from 1910 to 1925. When the Expressionists did on occasion turn to a more objective narrative mode in their poetry, they shaped it to their own purposes, as in Georg Heym's "Robespierre." Here the individual portrait of the French revolutionary leader on the way to the guillotine is simultaneously abstracted into an absolute image of existential man, nakedly exposed as a terrified animal creature in his confrontation with death. Heym's language, stripped of all ornament and pretensions to elegance, is forceful and even crassly blunt, while the abrupt rhythms belie the strict sonnet form in which the poem is written. These facets of expressionistic literary technique, rather than the wildly ecstatic and rhapsodic outbursts to which the Expressionists were also prone, strongly influenced the subsequent development of the ballad and helped to establish a truly modern ballad style.

The writer who must primarily be credited with revitalizing the ballad in the twentieth century is Bertolt Brecht. There are various reasons for the contemporary popularity of such works as "Die Moritat von Mackie Messer" and "Seeräuber-Jenny." On the one hand, Brecht returned to the much earlier ballad tradition of the *Bänkelsänger*, a kind of street-balladeer who stood on a wooden bench (*Bank*) at fairs and markets and declaimed verse-stories for the edification of his audience. The stories were inevitably of a melo-

dramatic, sensational variety and usually ended with a trite moral.
By pointing with a stick to a series of garish drawings, the *Bänkel-
sänger* would graphically illustrate the successive gruesome episodes
in his narrative. Thus we are to imagine each of the terrible deeds
of Mack the Knife as unfolding before our eyes like the pictures on
the *Bänkelsänger's* chart. The term *Moritat* (ballad about a murder
or horrendous event) is itself a corruption of *Mordtat* (murderous
act). Much of the freshness of Brecht's ballads also derives from his
return to the traditional concept of *singen und sagen* in the musical
settings of his collaborator, the composer Kurt Weill. But perhaps
most important of all, Brecht wrote in the twenties and thirties
within the framework of a new style in German literature. What is
generally termed *neue Sachlichkeit* (neorealism or new matter-of-
factness) represented a move toward sober, objective understatement
in literary expression. Brecht's ballads, like those of Kästner, are
sharp and satiric in tone, completely devoid of the Schillerian senti-
mental pathos which characterized much of the ballad poetry of the
preceding century. Their heroes are anti-heroes, no longer kings, but
commoners—petty thieves, bank clerks, kitchen maids, factory
workers, the "Kurt Schmidts" of our world. The exotic settings of the
past have been replaced by a prosaic, everyday background, and the
"critical happening" of the traditional ballad has become either
humdrum existence or is bizarre and absurd, as in Kästner's burlesque
of the Lorelei theme. The narrator's increased objectivity and irony
is seen in the device of the closing moral (borrowed from *Bänkelsang*),
where the biting, sardonic message often verges on cynicism. With
Günter Grass in our day this sardonic tone takes a wry, almost
grotesque turn. His "Die Ballade von der schwarzen Wolke" is in a
sense an anti-ballad: man is no longer the focal point of the action,
and the momentous event, the impending encounter between cloud
and hen, fails to take place.

Do we stand then at the end of an old, or at the beginning of a new
tradition? Opinion is divided on the status of the ballad in Germany
today. Whereas academic scholars tend to consider it a closed chapter
of literary history, younger poet-critics see in the inherent objectivity
of its style a possible escape from the excessive introversion of the
contemporary lyric poem. In an attempt to rid the genre of the
burden of the past, it has recently been suggested that the hoary term

Ballade be replaced by *Erzählgedicht*, a loan translation of the English "narrative poem." This indirect reminder of the English influence on the beginnings of the German *Kunstballade* brings us full cycle. With a look in both directions, the present situation may best be summed up in the words: "The ballad is dead. Long live the ballad."

Ernest J. Leo

Des Knaben Wunderhorn
(1806–1808)[1]

GROSSMUTTER SCHLANGENKÖCHIN[2]

„Maria, wo bist du zur Stube gewesen?[3]
Maria, mein einziges Kind!"

Ich bin bei meiner Großmutter gewesen,
Ach weh! Frau Mutter, wie weh!

5   „Was hat sie dir dann zu essen gegeben?
Maria, mein einziges Kind!"

Sie hat mir gebackne Fischlein gegeben,
Ach weh! Frau Mutter, wie weh!

„Wo hat sie dir dann das Fischlein gefangen?
10   Maria, mein einziges Kind!"

Sie hat es in ihrem Krautgärtlein gefangen,
Ach weh! Frau Mutter, wie weh!

---

[1] **Des Knaben Wunderhorn** The Boy's Magic Horn, *an anthology of popular songs and ballads compiled by Achim von Arnim (1781-1831) and Clemens Brentano (1778-1842), exemplifying the German Romantic interest in folk poetry*
[2] **Schlangenköchin** *"Cook-Snake" (a fanciful name)*
[3] **wo bist du zur Stube gewesen?** *where have you been visiting?*

„Womit hat sie dann das Fischlein gefangen?
Maria, mein einziges Kind!"

15   Sie hat es mit Stecken und Ruten gefangen,
Ach weh! Frau Mutter, wie weh!

„Wo ist dann das übrige vom Fischlein hinkommen?[4]
Maria, mein einziges Kind!"

Sie hat's ihrem schwarzbraunen Hündlein gegeben,
20   Ach weh! Frau Mutter, wie weh!

„Wo ist dann das schwarzbraune Hündlein hinkommen?
Maria, mein einziges Kind!"

Es ist in tausend Stücke zersprungen,
Ach weh! Frau Mutter, wie weh!

25   „Maria, wo soll ich dein Bettlein hinmachen?
Maria, mein einziges Kind!"

Du sollst mir's auf den Kirchhof machen,
Ach weh! Frau Mutter, wie weh!

---

[4] **wo ist das übrige hin(ge)kommen?** *what became of the rest?*

HERR OLOF

Herr Olof reitet spät und weit,
Zu bieten auf[1] seine Hochzeitleut';

Da tanzen die Elfen auf grünem Land,
Erlkönigs[2] Tochter ihm reicht die Hand.

5   „Willkommen, Herr Olof, was[3] eilst von hier?
Tritt her in den Reihen und tanz mit mir!"

„Ich darf nicht tanzen, nicht tanzen ich mag,
Früh morgen ist mein Hochzeittag."

„Hör an, Herr Olof, tritt tanzen mit mir,
10   Zwei güldene Sporen schenk' ich dir,

Ein Hemd von Seide so weiß und fein,
Meine Mutter bleicht's mit Mondenschein."

„Ich darf nicht tanzen, nicht tanzen ich mag,
Früh morgen ist mein Hochzeittag."

15   „Hör an! Herr Olof, tritt tanzen mit mir,
Einen Haufen Goldes schenk' ich dir."

---

[1] **bieten auf** *summon*
[2] **Erlkönig** *king of the elves, in folklore a sinister, evil fairy who lures humans to their destruction*
[3] **was** *why*

„Einen Haufen Goldes nehm' ich wohl,
Doch tanzen ich nicht darf noch soll."

20 „Und willt,[4] Herr Olof, nicht tanzen mit mir,
Soll Seuch' und Krankheit folgen dir."

Sie tät einen Schlag[5] ihm auf sein Herz,
Noch nimmer fühlt' er solchen Schmerz.

Sie hob ihn bleichend auf sein Pferd:
„Reit heim nun zu deinem Bräutlein wert."

25 Und als er kam vor Hauses Tür,
Seine Mutter zitternd stand dafür.[6]

„Hör an, mein Sohn, sag an mir gleich,
Wie ist dein' Farbe blaß und bleich!"

„Und sollt' sie nicht sein blaß und bleich,
30 Ich traf in Erlenkönigs Reich."

„Hör an, mein Sohn, so lieb und traut,
Was soll ich nun sagen deiner Braut?"

„Sagt ihr, ich sei im Wald zur Stund,[7]
Zu proben da mein Pferd und Hund."

35 Früh morgen und als es Tag kaum war,
Da kam die Braut mit der Hochzeitschar.

Sie schenkten Met, sie schenkten Wein:
„Wo ist Herr Olof, der Bräut'gam mein?"

---

[4] **willt = willst**
[5] **sie tät einen Schlag** *she struck a blow*
[6] **dafür = davor**
[7] **zur Stund(e)** *now*

„Herr Olof, er ritt in den Wald zur Stund,
40 Er probt allda sein Pferd und Hund."

Die Braut hob auf den Scharlach rot,
Da lag Herr Olof, und er war tot.

HERR VON FALKENSTEIN

Es reit' der Herr von Falkenstein
Wohl[1] über ein' breite Heide.
Was sieht er an dem Wege stehn?
Ein Mädel mit weißem Kleide.

5   „Wohin, wohinaus, du schöne Magd?
Was machet ihr hier alleine?
Wollt ihr die Nacht mein' Schlafbuhle sein,
So reitet ihr mit mir heime."

„Mit euch heimreiten, das tu' ich nicht,
10   Kann euch doch nicht erkennen."
„Ich bin der Herr von Falkenstein,
Und tu' mich selber nennen."[2]

„Seid ihr der Herr von Falkenstein,
Derselbe edle Herre,
15   So will ich euch bitten um'n Gefang'n mein,
Den will ich haben zur Ehe."

„Den Gefangnen mein, den geb' ich dir nicht,
Im Turm muß er vertrauern.
Zu Falkenstein steht ein tiefer Turm,
20   Wohl zwischen zwei hohen Mauern."

„Steht zu Falkenstein ein tiefer Turm,
Wohl zwischen zwei hohen Mauern,

---

[1] **wohl** *in ballads frequently merely a poetic "filler" inserted for the sake of the meter*
[2] **und tu' mich selber nennen** *I have no reason to conceal my name*

So will ich an den Mauern stehn,
Und will ihm helfen trauern."

25   Sie ging den Turm wohl um und wieder um:
„Feinslieb, bist du darinnen?
Und wenn ich dich nicht sehen kann,
So komm' ich von meinen Sinnen."[3]

      Sie ging den Turm wohl um und wieder um,
30   Den Turm wollt' sie aufschließen:
„Und wenn die Nacht ein Jahr lang wär,
Keine Stund' tät' mich verdrießen![4]

      Ei, dürft' ich scharfe Messer tragen,
Wie unsers Herrn sein' Knechte,
35   Ich tät' mit'm Herrn von Falkenstein
Um meinen Herzliebsten fechten!"[5]

      „Mit einer Jungfrau fecht' ich nicht,
Das wär' mir immer ein' Schande!
Ich will dir deinen Gefangnen geben;
40   Zieh mit ihm aus dem Lande!"

      „Wohl aus dem Lande, da zieh' ich nicht,
Hab' niemand was[6] gestohlen;
Und wenn ich was hab' liegen lan,[7]
So darf ich's wieder holen."

---

[3] **so komm' ich von meinen Sinnen** *I'll go out of my mind*
[4] **tät' mich verdrießen** *would cause me regret*
[5] **ich tät' fechten** *I would fight*
[6] **was = etwas**
[7] **lan = lassen**

LENORE

Bürger[1] hörte dieses Lied nachts in einem Nebenzimmer

Es stehn die Stern' am Himmel,
Es scheint der Mond so hell,
Die Toten reiten schnell:

„Mach auf, mein Schatz, dein Fenster,
5 Laß mich zu dir hinein,
Kann nicht lang bei dir sein;

Der Hahn, der tät schon krähen,[2]
Er singt uns an den Tag,
Nicht lang mehr bleiben mag.

10 Weit bin ich hergeritten,
Zweihundert Meilen weit
Muß ich noch reiten heut';

Herzallerliebste meine!
Komm, setz dich auf mein Pferd,
15 Der Weg ist Reitens wert.

Dort drin im Ungerlande
Hab ich ein kleines Haus,
Da geht mein Weg hinaus.

---

[1] **Bürger** *the poet Gottfried August Bürger*
[2] **tät schon krähen** *has already crowed*

Auf einer grünen Heide,
20   Da ist mein Haus gebaut
Für mich und meine Braut.

Laß mich nicht lang mehr warten,
Komm, Schatz, zu mir herauf,
Weit fort geht unser Lauf.

25   Die Sternlein tun uns leuchten,[3]
Es scheint der Mond so hell,
Die Toten reiten schnell."

„Wo willst mich dann hinführen?
Ach Gott! was hast gedacht
30   Wohl in der finstern Nacht?

Mit dir kann ich nicht reiten,
Dein Bettlein ist nicht breit,
Der Weg ist auch zu weit.

Allein leg du dich nieder,
35   Herzallerliebster, schlaf
Bis an den Jüngsten Tag!"[4]

---

[3] **tun uns leuchten** *will light the way for us*
[4] **der Jüngste Tag** *Judgment Day*

Gottfried August Bürger
(1747–1794)

LENORE

Lenore fuhr[1] um's Morgenrot
Empor aus schweren Träumen:
„Bist untreu, Wilhelm, oder tot?
Wie lange willst du säumen?"—
5   Er war mit König Friedrichs Macht
Gezogen in die Prager Schlacht[2]
Und hatte nicht geschrieben,
Ob er gesund geblieben.

Der König und die Kaiserin,
10   Des langen Haders müde,
Erweichten ihren harten Sinn
Und machten endlich Friede;
Und jedes Heer, mit Sing und Sang,
Mit Paukenschlag und Kling und Klang,
15   Geschmückt mit grünen Reisern,
Zog heim zu seinen Häusern.

Und überall, allüberall,
Auf Wegen und auf Stegen,[3]

---

[1] **fuhr . . . empor** *awoke with a start*
[2] **die Prager Schlacht** *The Battle of Prague (1757) was the second encounter between Prussians and Austrians in the Seven Years' War (1756-1763). The war was waged by Frederick the Great against Austria under Empress Maria Theresa.*
[3] **auf Wegen und auf Stegen** *on highways and byways*

Zog alt und jung dem Jubelschall
20   Der Kommenden entgegen.
Gottlob! rief Kind und Gattin laut,
Willkommen! manche frohe Braut.
Ach! aber für Lenoren
War Gruß und Kuß verloren.

25   Sie frug[3] den Zug wohl auf und ab,
Und frug nach allen Namen;
Doch keiner war, der Kundschaft gab,
Von allen, so[4] da kamen.
Als nun das Heer vorüber war,
30   Zerraufte sie ihr Rabenhaar
Und warf sich hin zur Erde,
Mit wütiger Gebärde.

Die Mutter lief wohl hin zu ihr:
„Ach, daß sich Gott erbarme!
35   Du trautes Kind, was ist mit dir?"
Und schloß sie in die Arme.[5]—
„O Mutter, Mutter! hin ist hin!
Nun fahre Welt und alles hin!
Bei Gott ist kein Erbarmen.
40   O weh, o weh mir Armen!"—

„Hilf Gott, hilf! Sieh uns gnädig an!
Kind, bet' ein Vaterunser!
Was Gott tut, das ist wohlgetan.
Gott, Gott erbarmt sich unser!"—
45   „O Mutter, Mutter! Eitler Wahn!
Gott hat an mir nicht wohlgetan!
Was half, was half mein Beten?
Nun ist's nicht mehr vonnöten."—

---

[3] **frug = fragte; sie frug den Zug wohl auf und ab** *she asked up and down the column*
[4] **so = die**
[5] **schloß sie in die Arme** *embraced her*

„Hilf Gott, hilf! wer den Vater kennt,
50   Der weiß, er hilft den Kindern.
Das hochgelobte Sakrament
Wird deinen Jammer lindern."—
„O Mutter, Mutter! Was mich brennt,
Das lindert mir kein Sakrament!
55   Kein Sakrament mag Leben
Den Toten wiedergeben."—

„Hör', Kind! Wie, wenn[6] der falsche Mann,
Im fernen Ungerlande
Sich seines Glaubens abgetan[7]
60   Zum neuen Ehebande?
Laß fahren, Kind, sein Herz dahin!
Er hat es nimmermehr Gewinn![8]
Wann Seel' und Leib sich trennen,
Wird ihn sein Meineid brennen."—

65   „O Mutter, Mutter! Hin ist hin![9]
Verloren ist verloren!
Der Tod, der Tod ist mein Gewinn!
O wär' ich nie geboren!
Lisch aus, mein Licht, auf ewig aus!
70   Stirb hin, stirb hin in Nacht und Graus!
Bei Gott ist kein Erbarmen.
O weh, o weh mir Armen!"—

„Hilf Gott, hilf! Geh nicht ins Gericht[10]
Mit deinem armen Kinde!
75   Sie weiß nicht, was die Zunge spricht.
Behalt ihr nicht die Sünde![11]

---

[6] **wie, wenn** *what if*
[7] **sich seines Glaubens abgetan** *has renounced his faith*
[8] **er hat es nimmermehr Gewinn!** *he will never profit from it!*
[9] **hin ist hin!** *what's gone is gone!*
[10] **geh nicht ins Gericht** *do not enter into judgment*
[11] **behalt ihr nicht die Sünde!** *don't charge her with the sin!*

Ach Kind, vergiß dein irdisch Leid,
Und denk' an Gott und Seligkeit!
So wird doch deiner Seelen
80   Der Bräutigam[12] nicht fehlen."—

„O Mutter! Was ist Seligkeit?
O Mutter! Was ist Hölle?
Bei ihm, bei ihm ist Seligkeit,
Und ohne Wilhelm Hölle!
85   Lisch aus, mein Licht, auf ewig aus!
Stirb hin, stirb hin in Nacht und Graus!
Ohn' ihn mag ich auf Erden,
Mag dort nicht selig werden."—

So wütete Verzweifelung
90   Ihr in Gehirn und Adern.
Sie fuhr mit Gottes Vorsehung
Vermessen fort zu hadern,
Zerschlug den Busen und zerrang
Die Hand bis Sonnenuntergang,
95   Bis auf am Himmelsbogen
Die goldnen Sterne zogen.

Und außen, horch! ging's trapp trapp trapp,
Als wie von Rosses Hufen,
Und klirrend stieg ein Reiter ab
100   An des Geländers Stufen.
Und horch! und horch! den Pfortenring
Ganz lose, leise, klinglingling!
Dann kamen durch die Pforte
Vernehmlich diese Worte:

105   „Holla! Holla! Tu auf, mein Kind!
Schläfst, Liebchen, oder wachst du?
Wie bist noch gegen mich gesinnt?

---

[12] **Bräutigam** *bridegroom*, i.e., *Christ*

Und weinest oder lachst du?"—
"Ach, Wilhelm, du?—So spät bei Nacht?

110 Geweinet hab' ich und gewacht;
Ach, großes Leid erlitten!
Wo kommst du hergeritten?"—

"Wir satteln nur um Mitternacht.
Weit ritt ich her von Böhmen.

115 Ich habe spät mich aufgemacht
Und will dich mit mir nehmen."—
"Ach, Wilhelm, erst herein geschwind!
Den Hagedorn durchsaust der Wind,
Herein, in meinen Armen,

120 Herzliebster, zu erwarmen!"—

"Laß sausen durch den Hagedorn,
Laß sausen, Kind, laß sausen!
Der Rappe scharrt; es klirrt der Sporn.
Ich darf allhier nicht hausen.

125 Komm, schürze, spring und schwinge dich
Auf meinen Rappen hinter mich!
Muß heut noch hundert Meilen
Mit dir in's Brautbett eilen."—

"Ach! wolltest hundert Meilen noch

130 Mich heut ins Brautbett tragen?
Und horch! es brummt die Glocke noch,
Die elf schon angeschlagen."—
"Sieh hin, sieh her! der Mond scheint hell.
Wir und die Toten reiten schnell.

135 Ich bringe dich, zur Wette,[13]
Noch heut ins Hochzeitbette."—

"Sag' an, wo ist dein Kämmerlein?
Wo? Wie dein Hochzeitbettchen?"'—

---

[13] **zur Wette** *I'll wager*

„Weit, weit von hier!—Still, kühl and klein!—
140 Sechs Bretter und zwei Brettchen!"—
„Hat's Raum für mich?"—„Für dich und mich!
Komm, schürze, spring und schwinge dich!
Die Hochzeitsgäste hoffen;[14]
Die Kammer steht uns offen."—

145 Schön Liebchen schürzte, sprang und schwang
Sich auf das Roß behende;
Wohl um den trauten Reiter schlang
Sie ihre Lilienhände;
Und hurre hurre, hopp hopp hopp!
150 Ging's fort in sausendem Galopp,
Daß Roß und Reiter schnoben
Und Kies und Funken stoben.

Zur rechten und zur linken Hand,
Vorbei vor ihren Blicken,
155 Wie flogen Anger, Heid' und Land!
Wie donnerten die Brücken!—
„Graut Liebchen auch?—Der Mond scheint hell!
Hurra! die Toten reiten schnell!
Graut Liebchen auch vor Toten?"—
160 „Ach nein!—Doch laß die Toten!"—

Was klang dort für Gesang und Klang?
Was flatterten die Raben?
Horch Glockenklang! Horch Totensang:
„Laßt uns den Leib begraben!"
165 Und näher zog ein Leichenzug,
Der Sarg und Totenbahre trug.
Das Lied war zu vergleichen
Dem Unkenruf in Teichen.

---

[14] **hoffen** *wait expectantly*

„Nach Mitternacht begrabt den Leib,
170   Mit Klang und Sang und Klage!
Jetzt führ' ich heim mein junges Weib;
Mit, mit zum Brautgelage!
Komm, Küster, hier! Komm mit dem Chor
Und gurgle mir das Brautlied vor![15]
175   Komm, Pfaff', und sprich den Segen,
Eh' wir zu Bett uns legen!"—

Still Klang und Sang.—Die Bahre schwand.—
Gehorsam seinem Rufen
Kam's hurre hurre! nachgerannt
180   Hart hinter's Rappen Hufen.
Und immer weiter, hopp hopp hopp!
Ging's fort in sausendem Galopp,
Daß Roß und Reiter schnoben
Und Kies und Funken stoben.

185   Wie flogen rechts, wie flogen links
Gebirge, Bäum' und Hecken!
Wie flogen links und rechts und links
Die Dörfer, Städt' und Flecken!—
„Graut Liebchen auch?—Der Mond scheint hell!
190   Hurra! die Toten reiten schnell!
Graut Liebchen auch vor Toten?"—
„Ach! Laß sie ruhn, die Toten!"—

Sieh da! sieh da! Am Hochgericht
Tanzt' um des Rades Spindel
195   Halb sichtbarlich bei Mondenlicht,
Ein luftiges Gesindel.—
„Sasa! Gesindel, hier! Komm hier!
Gesindel, komm und folge mir!
Tanz' uns den Hochzeitreigen,
200   Wann wir zu Bette steigen!"—

---

[15] **gurgle mir das Brautlied vor!** *sing the nuptials in a groaning voice!*

Und das Gesindel husch husch husch!
Kam hinten nachgeprasselt,
Wie Wirbelwind am Haselbusch
Durch dürre Blätter rasselt.
205 Und weiter, weiter, hopp hopp hopp!
Ging's fort in sausendem Galopp,
Daß Roß und Reiter schnoben,
Und Kies und Funken stoben.

Wie flog, was rund der Mond beschien,
210 Wie flog es in die Ferne!
Wie flogen oben überhin[16]
Der Himmel und die Sterne!—
„Graut Liebchen auch?—Der Mond scheint hell!
Hurra! die Toten reiten schnell!
215 Graut Liebchen auch vor Toten?"—
„O weh! Laß ruhn die Toten!"—

„Rapp'! Rapp'! Mich dünkt,[17] der Hahn schon ruft.—
Bald wird der Sand verrinnen.—
Rapp'! Rapp'! Ich wittre Morgenluft—
220 Rapp'! Tummle dich von hinnen!—
Vollbracht, vollbracht ist unser Lauf!
Das Hochzeitbette tut sich auf!
Die Toten reiten schnelle!
Wir sind, wir sind zur Stelle."—

225 Rasch auf ein eisern Gittertor
Ging's mit verhängtem Zügel.[18]
Mit schwanker Gert' ein Schlag davor
Zersprengte Schloß und Riegel.
Die Flügel flogen klirrend auf,
230 Und über Gräber ging der Lauf.

---

[16] **flogen oben überhin** *flew past overhead*
[17] **mich dünkt** *I think*
[18] **ging's mit verhängtem Zügel** *they rode at full gallop*

Es blinkten Leichensteine
Rundum im Mondenscheine.

Ha sieh! Ha sieh! im Augenblick,
Huhu! ein gräßlich Wunder!
235 Des Reiters Koller, Stück für Stück,
Fiel ab, wie mürber Zunder.
Zum Schädel ohne Zopf und Schopf,[19]
Zum nackten Schädel ward[20] sein Kopf,
Sein Körper zum Gerippe
240 Mit Stundenglas und Hippe.

Hoch bäumte sich, wild schnob der Rapp'
Und sprühte Feuerfunken;
Und hui! war's unter ihr hinab
Verschwunden und versunken.
245 Geheul! Geheul aus hoher Luft,
Gewinsel kam aus tiefer Gruft;
Lenorens Herz mit Beben,
Rang zwischen Tod und Leben.

Nun tanzten wohl bei Mondenglanz
250 Rundum herum im Kreise
Die Geister einen Kettentanz
Und heulten diese Weise:
„Geduld! Geduld! Wenn's Herz auch bricht!
Mit Gott im Himmel hadre nicht!
255 Des Leibes bist du ledig;
Gott sei der Seele gnädig!"

---

[19] **ohne Zopf und Schopf** *entirely without hair*
[20] **ward = wurde**

Johann Wolfgang von Goethe

(1749–1832)

ERLKÖNIG[1]

Wer reitet so spät durch Nacht und Wind?
Es ist der Vater mit seinem Kind;
Er hat den Knaben wohl in dem Arm,
Er faßt ihn sicher, er hält ihn warm.

5   Mein Sohn, was[2] birgst du so bang dein Gesicht?—
Siehst, Vater, du den Erlkönig nicht?
Den Erlenkönig mit Kron' und Schweif?—
Mein Sohn, es ist ein Nebelstreif.—

„Du liebes Kind, komm, geh mit mir!
10   Gar schöne Spiele spiel' ich mit dir;
Manch' bunte Blumen sind an dem Strand;
Meine Mutter hat manch' gülden Gewand."

Mein Vater, mein Vater, und hörest du nicht,
Was Erlenkönig mir leise verspricht?—
15   Sei ruhig, bleibe ruhig, mein Kind;
In dürren Blättern säuselt der Wind.—

---

[1] **Erlkönig** *king of the elves. In Goethe's ballad the seductive and malevolent figure of folklore is both a psychological projection of the child's fears and a personification of demonic forces in nature.*
[2] **was** *why*

„Willst, feiner Knabe, du mit mir gehn?
Meine Töchter sollen dich warten schön;
Meine Töchter führen den nächtlichen Reihn
20   Und wiegen und tanzen und singen dich ein."

Mein Vater, mein Vater, und siehst du nicht dort
Erlkönigs Töchter am düstern Ort?—
Mein Sohn, mein Sohn, ich seh' es genau;
Es scheinen die alten Weiden so grau.—

25   „Ich liebe dich, mich reizt deine schöne Gestalt;
Und bist du nicht willig, so brauch' ich Gewalt."—
Mein Vater, mein Vater, jetzt faßt er mich an!
Erlkönig hat mir ein Leids getan!—

Dem Vater grauset's, er reitet geschwind,
30   Er hält in Armen das ächzende Kind,
Erreicht den Hof mit Mühe und Not;
In seinen Armen das Kind war tot.

DER KÖNIG IN THULE

Es war ein König in Thule[1]
Gar treu bis an das Grab,
Dem sterbend seine Buhle
Einen goldnen Becher gab.

5   Es ging ihm nichts darüber,[2]
Er leert' ihn jeden Schmaus;
Die Augen gingen ihm über,[3]
So oft er trank daraus.

Und als er kam zu sterben,
10   Zählt' er seine Städt' im Reich,
Gönnt' alles seinem Erben,
Den Becher nicht zugleich.

Er saß beim Königsmahle,
Die Ritter um ihn her,
15   Auf hohem Vätersaale
Dort auf dem Schloß am Meer.

Dort stand der alte Zecher,
Trank letzte Lebensglut
Und warf den heil'gen Becher
20   Hinunter in die Flut.

---

[1] **Thule** *a mythical island of the far North*
[2] **es ging ihm nichts darüber** *he prized nothing more highly*
[3] **die Augen gingen ihm über** *his eyes filled with tears*

Goethe

Er sah ihn stürzen, trinken
Und sinken tief ins Meer.
Die Augen täten ihm sinken[4]—
Trank nie einen Tropfen mehr.

---

[4] **die Augen täten ihm sinken** *his eyes closed*

DER UNTREUE KNABE

Es war ein Knabe frech genung,[1]
War erst[2] aus Frankreich kommen,[3]
Der hatt' ein armes Mädel jung
Gar oft in Arm genommen,
5   Und liebgekost und liebgeherzt,
Als Bräutigam herumgescherzt,
Und endlich sie verlassen.

Das braune Mädel das erfuhr,
Vergingen ihr die Sinnen,[4]
10   Sie lacht' und weint' und bet't' und schwur;
So fuhr die Seel' von hinnen.[5]
Die Stund', da[6] sie verschieden war,
Wird bang dem Buben, graust sein Haar,
Es treibt ihn fort zu Pferde.

15   Er gab die Sporen kreuz und quer
Und ritt auf alle Seiten,
Herüber, hinüber, hin und her,
Kann keine Ruh' erreiten;
Reit't sieben Tag' und sieben Nacht;
20   Es blitzt und donnert, stürmt und kracht,
Die Fluten reißen über.

---

[1] **genung = genug**
[2] **erst** *just*
[3] **kommen = gekommen**
[4] **vergingen ihr die Sinne(n)** *she lost her senses, became crazed*
[5] **fuhr . . . von hinnen** *departed (this life)*
[6] **da = wo** *when, in which*

Und reit't in Blitz und Wetterschein
Gemäuerwerk entgegen.
Bindt's Pferd hauß'[7] an und kriecht hinein,
25   Und duckt sich vor dem Regen.
Und wie er tappt, und wie er fühlt,
Sich unter ihm die Erd' erwühlt;
Er stürzt wohl hundert Klafter.

Und als er sich ermannt vom Schlag,
30   Sieht er drei Lichtlein schleichen.
Er rafft sich auf und krabbelt nach,
Die Lichtlein ferne weichen,
Irrführen ihn, die Quer' und Läng',
Trepp' auf, Trepp' ab, durch enge Gäng',
35   Verfallne wüste Keller.

Auf einmal steht er hoch im Saal,
Sieht sitzen hundert Gäste,
Hohläugig grinsen allzumal
Und winken ihm zum Feste.
40   Er sieht sein Schätzel untenan[8]
Mit weißen Tüchern angetan,
Die wend't sich—

---

[7] **hauß(en)** *outside*
[8] **untenan** *at the far end of the table*

DER FISCHER

Das Wasser rauscht', das Wasser schwoll,
Ein Fischer saß daran,
Sah nach dem Angel ruhevoll,
Kühl bis ans Herz hinan.
5   Und wie er sitzt und wie er lauscht,
Teilt sich die Flut empor;
Aus dem bewegten Wasser rauscht
Ein feuchtes Weib[1] hervor.

Sie sang zu ihm, sie sprach zu ihm:
10   „Was lockst du meine Brut
Mit Menschenwitz und Menschenlist
Hinauf in Todesglut?
Ach wüßtest du, wie's Fischlein ist
So wohlig auf dem Grund,
15   Du stiegst herunter, wie du bist,
Und würdest erst gesund.

Labt sich die liebe Sonne nicht,
Der Mond sich nicht im Meer?
Kehrt wellenatmend ihr Gesicht
20   Nicht doppelt schöner her?
Lockt dich der tiefe Himmel nicht,
Das feuchtverklärte Blau?
Lockt dich dein eigen Angesicht
Nicht her in ew'gen Tau?"

---

[1] ein feuchtes Weib *a mermaid*

25   Das Wasser rauscht', das Wasser schwoll,
       Netzt' ihm den nackten Fuß;
       Sein Herz wuchs ihm so sehnsuchtsvoll,
       Wie bei der Liebsten Gruß.
       Sie sprach zu ihm, sie sang zu ihm;
30   Da war's um ihn geschehn:[2]
       Halb zog sie ihn, halb sank er hin,
       Und ward nicht mehr gesehn.

---

[2] **da war's um ihn geschehn** *then he was lost*

Friedrich von Schiller

(1759–1805)

DER HANDSCHUH

Vor seinem Löwengarten,
Das Kampfspiel zu erwarten,
Saß König Franz,[1]
Und um ihn die Großen der Krone,
5   Und rings auf hohem Balkone
Die Damen in schönem Kranz.

Und wie er winkt mit dem Finger,
Auf tut sich der weite Zwinger,
Und hinein mit bedächtigem Schritt
10   Ein Löwe tritt
Und sieht sich stumm
Rings um,
Mit langem Gähnen,
Und schüttelt die Mähnen
15   Und streckt die Glieder
Und legt sich nieder.

Und der König winkt wieder;
Da öffnet sich behend
Ein zweites Tor,
20   Daraus rennt

---

[1] **König Franz** *Francis I of France, ruled 1515–1547*

Mit wildem Sprunge
Ein Tiger hervor.
Wie der den Löwen erschaut,
Brüllt er laut,
25   Schlägt mit dem Schweif
Einen furchtbaren Reif
Und recket die Zunge,
Und im Kreise scheu
Umgeht er den Leu
30   Grimmig schnurrend;
Drauf streckt er sich murrend
Zur Seite nieder.

Und der König winkt wieder;
Da speit das doppelt geöffnete Haus
35   Zwei Leoparden auf einmal aus.
Die stürzen mit mutiger Kampfbegier
Auf das Tigertier;
Das packt sie mit seinen grimmigen Tatzen,
Und der Leu mit Gebrüll
40   Richtet sich auf—da wird's still;
Und herum im Kreis,
Von Mordsucht heiß,
Lagern sich die greulichen Katzen.

Da fällt von des Altans Rand
45   Ein Handschuh von schöner Hand
Zwischen den Tiger und den Leu'n
Mitten hinein.

Und zu Ritter Delorges spottender Weis'
Wendet sich Fräulein Kunigund:
50   „Herr Ritter, ist Eure Lieb' so heiß,
Wie Ihr mir's schwört zu jeder Stund',
Ei, so hebt mir den Handschuh auf!"

Und der Ritter in schnellem Lauf
Steigt hinab in den furchtbaren Zwinger

55   Mit festem Schritte,
Und aus der Ungeheuer Mitte
Nimmt er den Handschuh mit keckem Finger.

Und mit Erstaunen und mit Grauen
Sehen's die Ritter und Edelfrauen,
60   Und gelassen bringt er den Handschuh zurück.
Da schallt ihm sein Lob aus jedem Munde,
Aber mit zärtlichem Liebesblick—
Er verheißt ihm sein nahes Glück—
Empfängt ihn Fräulein Kunigunde.
65   Und er wirft ihr den Handschuh ins Gesicht:
„Den Dank, Dame, begehr' ich nicht!"
Und verläßt sie zur selben Stunde.

Clemens Brentano

(1778–1842)

LORE LAY

Zu Bacharach[1] am Rheine
Wohnt' eine Zauberin,
Sie war so schön und feine
Und riß viel Herzen hin.

5   Und brachte viel' zuschanden
Der Männer rings umher,
Aus ihren Liebesbanden
War keine Rettung mehr.

Der Bischof ließ sie laden
10   Vor geistliche Gewalt—
Und mußte sie begnaden,
So schön war ihr' Gestalt.

Er sprach zu ihr gerühret:
„Du arme Lore Lay!
15   Wer hat dich denn verführet
Zu böser Zauberei?"

„Herr Bischof, laßt mich sterben,
Ich bin des Lebens müd',

---

[1] **Bacharach** *town on the Rhine*

20   Weil jeder muß verderben,
     Der meine Augen sieht.

     Die Augen sind zwei Flammen,
     Mein Arm ein Zauberstab—
     O legt mich in die Flammen,
     O brechet mir den Stab!"[2]

25   „Ich kann dich nicht verdammen,
     Bis du mir erst bekennt,[3]
     Warum in deinen Flammen
     Mein eigen Herz schon brennt.

     Den Stab kann ich nicht brechen,
30   Du schöne Lore Lay!
     Ich müßte dann zerbrechen
     Mein eigen Herz entzwei!"

     „Herr Bischof, mit mir Armen
     Treibt nicht so bösen Spott,[4]
35   Und bittet um Erbarmen
     Für mich den lieben Gott!

     Ich darf nicht länger leben,
     Ich liebe keinen mehr—
     Den Tod sollt Ihr mir geben,
40   Drum kam ich zu Euch her!

     Mein Schatz hat mich betrogen,
     Hat sich von mir gewandt,
     Ist fort von mir gezogen,
     Fort in ein fremdes Land.

---

[2] *At executions the judge would break a staff to indicate symbolically the forfeiture of the condemned person's life.*
[3] **bekennt = bekennst**
[4] **treibt nicht so bösen Spott** *do not mock so cruelly*

45   Die Augen sanft und wilde,
Die Wangen rot und weiß,
Die Worte still und milde,
Das ist mein Zauberkreis.

Ich selbst muß drin verderben,
50   Das Herz tut mir so weh,
Vor Schmerzen möcht ich sterben,
Wenn ich mein Bildnis seh.

Drum laßt mein Recht mich finden,[5]
Mich sterben, wie ein Christ!
55   Denn alles muß verschwinden,
Weil er nicht bei mir ist."

Drei Ritter läßt er holen:
„Bringt sie ins Kloster hin!
Geh Lore! Gott befohlen
60   Sei dein berückter Sinn!

Du sollst ein Nönnchen werden,
Ein Nönnchen schwarz und weiß,
Bereite dich auf Erden
Zu deines Todes Reis'!"

65   Zum Kloster sie nun ritten,
Die Ritter alle drei,
Und traurig in der Mitten
Die schöne Lore Lay.

„O Ritter, laßt mich gehen
70   Auf diesen Felsen groß,
Ich will noch einmal sehen
Nach meines Buhlen Schloß.

---

[5] **d(a)rum laßt mein Recht mich finden** *therefore let me have what I am entitled to*

Ich will noch einmal sehen
Wohl in den tiefen Rhein
75   Und dann ins Kloster gehen
Und Gottes Jungfrau sein."

Der Felsen ist so jähe,
So steil ist seine Wand,
Sie klimmen in die Höhe,
80   Da tritt sie an den Rand

Und sprach: „Willkomm, da wehet
Ein Segel auf dem Rhein,
Der in dem Schifflein stehet,
Der soll mein Liebster sein!

85   Mein Herz wird mir so munter,
Er muß mein Liebster sein!"
Da lehnt sie sich hinunter
Und stürzet in den Rhein.

Wer hat dies Lied gesungen?
90   Ein Schiffer auf dem Rhein,
Und immer hats geklungen
Von dem Dreiritterstein:
     Lore Lay!
     Lore Lay!
95   Lore Lay!
Als wären es meiner drei.[6]

---

[6] **als wären es meiner drei** *as if all three were mine (A typical Romantic device: as he listens to the song of the boatman, the narrator imagines he is singing it himself, as though it were already vaguely familiar to him.)*

Adelbert von Chamisso
(1781–1838)

DIE WEIBER VON WINSPERG

Der erste Hohenstaufen, der König Konrad,[1] lag
Mit Heeresmacht vor Winsperg[2] seit manchem langen Tag;
Der Welfe war geschlagen, noch wehrte sich das Nest,
Die unverzagten Städter, die hielten es noch fest.

5   Der Hunger kam, der Hunger! das ist ein scharfer Dorn;
Nun suchten sie die Gnade, nun fanden sie den Zorn.
„Ihr habt mir hier erschlagen gar manchen Degen[3] wert,
Und öffnet ihr die Tore, so trifft euch doch das Schwert.“

Da sind die Weiber kommen:[4] „Und muß es also sein,
10   Gewährt uns freien Abzug, wir sind vom Blute rein.“
Da hat sich vor den Armen des Helden Zorn gekühlt,
Da hat ein sanft Erbarmen im Herzen er gefühlt.

---

[1] **König Konrad** *Conrad III, first of the German kings and emperors of the Hohenstaufen dynasty, ruled from 1138 to 1152. He fought against the Welfs (Guelfs), members of a political faction in Germany and Italy who favored papal over imperial authority and were hostile to the Waiblings (Ghibellines) of the house of Hohenstaufen.*

[2] **Winsperg (Weinsberg)** *fortress-town in Swabia in southern Germany, a Welf stronghold besieged and captured by Conrad in 1140*

[3] **Degen** *warrior*

[4] **kommen = gekommen**

„Die Weiber mögen abziehn, und jede habe frei,
Was sie vermag zu tragen und ihr das Liebste sei!
15 Laßt ziehn mit ihrer Bürde sie ungehindert fort!
Das ist des Königs Meinung, das ist des Königs Wort."

Und als der frühe Morgen im Osten kaum gegraut,
Da hat ein seltnes Schauspiel vom Lager man geschaut;
Es öffnet leise, leise sich das bedrängte Tor,
20 Es schwankt ein Zug von Weibern mit schwerem Schritt
hervor.

Tief beugt die Last sie nieder, die auf dem Nacken ruht,
Sie tragen ihre Eh'herrn, das ist ihr liebstes Gut.
„Halt an die argen Weiber!" ruft drohend mancher Wicht;
Der Kanzler spricht bedeutsam: „Das war die Meinung nicht."

25 Da hat, wie er's vernommen, der fromme Herr gelacht:
„Und war es nicht die Meinung, sie haben's gut gemacht;
Gesprochen ist gesprochen, das Königswort besteht,
Und zwar von keinem Kanzler zerdeutelt und zerdreht."

DER SOLDAT

Es geht bei gedämpfter Trommel Klang;
Wie weit noch die Stätte, der Weg wie lang!
O wär' er zur Ruh' und alles vorbei!
Ich glaub', es bricht mir das Herz entzwei.

5 Ich hab' in der Welt nur ihn geliebt,
Nur ihn, dem jetzt man den Tod doch gibt.
Bei klingendem Spiele wird paradiert;
Dazu bin auch ich kommandiert.

Nun schaut er auf zum letzten Mal
10 In Gottes Sonne freudigen Strahl;
Nun binden sie ihm die Augen zu—
Dir schenke Gott die ewige Ruh'!

Es haben die Neun wohl angelegt;
Acht Kugeln haben vorbeigefegt.
15 Sie zitterten alle vor Jammer und Schmerz—
Ich aber, ich traf ihn mitten ins Herz.

Ludwig Uhland
(1787–1862)

DAS SCHLOSS AM MEERE

„Hast du das Schloß gesehen,
Das hohe Schloß am Meer?
Golden und rosig wehen
Die Wolken drüber her.

5   Es möchte sich niederneigen
In die spiegelklare Flut;
Es möchte streben und steigen
In der Abendwolken Glut."

„Wohl hab' ich es gesehen,
10   Das hohe Schloß am Meer,
Und den Mond darüber stehen
Und Nebel weit umher."

„Der Wind und des Meeres Wallen,
Gaben sie frischen Klang?
15   Vernahmst du aus hohen Hallen
Saiten und Festgesang?"

„Die Winde, die Wogen alle
Lagen in tiefer Ruh';
Einem Klagelied aus der Halle
20   Hört' ich mit Tränen zu."

„Sahest du oben gehen
Den König und sein Gemahl?
Der roten Mäntel Wehen,
Der goldnen Kronen Strahl?

25   Führten sie nicht mit Wonne
Eine schöne Jungfrau dar,
Herrlich wie eine Sonne,
Strahlend im goldnen Haar?"

„Wohl sah ich die Eltern beide,
30   Ohne der Kronen Licht
Im schwarzen Trauerkleide;
Die Jungfrau sah ich nicht."

DER WIRTIN TÖCHTERLEIN

Es zogen drei Bursche wohl über den Rhein,
Bei einer Frau Wirtin, da kehrten sie ein:

„Frau Wirtin, hat Sie[1] gut Bier und Wein?
Wo hat Sie Ihr schönes Töchterlein?"

5   „Mein Bier und Wein ist frisch und klar.
Mein Töchterlein liegt auf der Totenbahr'."

Und als sie traten zur Kammer hinein,
Da lag sie in einem schwarzen Schrein.

Der erste, der schlug den Schleier zurück
10   Und schaute sie an mit traurigem Blick:

„Ach, lebtest du noch, du schöne Maid!
Ich würde dich lieben von dieser Zeit."

Der zweite deckte den Schleier zu
Und kehrte sich ab und weinte dazu:

15   „Ach, daß du liegst auf der Totenbahr'!
Ich hab' dich geliebet so manches Jahr."

Der dritte hub[2] ihn wieder sogleich
Und küßte sie an den Mund so bleich:

„Dich lieb' ich immer, dich lieb' ich noch heut
20   Und werde dich lieben in Ewigkeit."

---

[1] hat Sie (old polite form of address) = haben Sie
[2] hub = hob

SIEGFRIEDS SCHWERT

Jung Siegfried[1] war ein stolzer Knab',
Ging von des Vaters Burg herab.

Wollt' rasten nicht in Vaters Haus,
Wollt' wandern in alle Welt hinaus.

5   Begegnet' ihm manch Ritter wert
Mit festem Schild und breitem Schwert.

Siegfried nur einen Stecken trug;
Das war ihm bitter und leid genug.

Und als er ging im finstern Wald,
10   Kam er zu einer Schmiede bald.

Da sah er Eisen und Stahl genug;
Ein lustig Feuer Flammen schlug.

„O Meister, liebster Meister mein,
Laß du mich deinen Gesellen sein!

15   Und lehr' du mich mit Fleiß und Acht,
Wie man die guten Schwerter macht!"

Siegfried den Hammer wohl schwingen kunnt',[2]
Er schlug den Amboß in den Grund.

---

[1] **Siegfried** *hero of Germanic myth whose most famous exploit was the slaying of a treasure-guarding dragon*
[2] **kunnt'** = **konnte**

Er schlug, daß weit der Wald erklang
20 Und alles Eisen in Stücke sprang.

Und von der letzten Eisenstang'
Macht' er ein Schwert so breit und lang:

„Nun hab' ich geschmiedet ein gutes Schwert,
Nun bin ich wie andre Ritter wert.

25 Nun schlag' ich wie ein andrer Held
Die Riesen und Drachen in Wald und Feld."

DIE RACHE

Der Knecht hat erstochen den edeln Herrn,
Der Knecht wär' selber ein Ritter gern.

Er hat ihn erstochen im dunkeln Hain
Und den Leib versenket im tiefen Rhein.

5   Hat angelegt die Rüstung blank,
Auf des Herren Roß sich geschwungen frank.

Und als er sprengen will über die Brück',
Da stutzet das Roß und bäumt sich zurück.

Und als er die güldnen Sporen ihm gab,
10   Da schleudert's ihn wild in den Strom hinab.

Mit Arm, mit Fuß er rudert und ringt:
Der schwere Panzer ihn niederzwingt.

Joseph von Eichendorff
(1788–1857)

LORELEY

Es ist schon spät, es wird schon kalt,
Was[1] reit'st du einsam durch den Wald?
Der Wald ist lang, du bist allein,
Du schöne Braut! Ich führ' dich heim!

5 „Groß ist der Männer Trug und List,
Vor Schmerz mein Herz gebrochen ist,
Wohl irrt das Waldhorn her und hin,
O flieh! Du weißt nicht, wer ich bin."

So reich geschmückt ist Roß und Weib,
10 So wunderschön der junge Leib,
Jetzt kenn' ich dich—Gott steh' mir bei!
Du bist die Hexe Loreley.

„Du kennst mich wohl—von hohem Stein
Schaut still mein Schloß tief in den Rhein.
15 Es ist schon spät, es wird schon kalt,
Kommst nimmermehr aus diesem Wald!"

---

[1] **was** *why*

ZAUBERBLICK

Die Burg, die liegt verfallen
In schöner Einsamkeit,
Dort saß ich vor den Hallen
Bei stiller Mittagszeit.

5 Es ruhten in der Kühle
Die Rehe auf dem Wall
Und tief in blauer Schwüle
Die sonn'gen Täler all'.

Tief unten hört' ich Glocken
10 In weiter Ferne gehn,
Ich aber mußt' erschrocken
Zum alten Erker sehn.

Denn in dem Fensterbogen
Ein' schöne Fraue stand,
15 Als hütete sie droben
Die Wälder und das Land.

Ihr Haar, wie 'n goldner Mantel,
War tief herabgerollt;
Auf einmal sie sich wandte,
20 Als ob sie sprechen wollt'.

Und als ich schauernd lauschte—
Da war ich aufgewacht,
Und unter mir schon rauschte
So wunderbar die Nacht.

25   Träumt' ich im Mondesschimmer?
Ich weiß nicht, was[1] mir graut,
Doch das vergess' ich nimmer,
Wie sie mich angeschaut!

---

[1] was = wovor

DIE SPÄTE HOCHZEIT

Der Mond ging unter—jetzt ist's Zeit.—
Der Bräut'gam steigt vom Roß,
Er hat so lange schon gefreit—
Da tut sich auf das Schloß,
5   Und in der Halle sitzt die Braut
Auf diamantnem Sitz,
Von ihrem Schmuck tut's[1] durch den Bau
Ein'n langen roten Blitz.—

Blass' Knaben warten schweigend auf,
10   Still' Gäste stehn herum,
Da richt't die Braut sich langsam auf,
So hoch und bleich und stumm.
Sie schlägt zurück ihr Goldgewand,
Da schauert ihn vor Lust,
15   Sie langt mit kalter, weißer Hand
Das Herz ihm aus der Brust.

---

[1] **tut's einen Blitz** *lightning flashes*

DAS ZERBROCHENE RINGLEIN

In einem kühlen Grunde[1]
Da geht ein Mühlenrad,
Mein' Liebste ist verschwunden,
Die dort gewohnet hat.

5   Sie hat mir Treu' versprochen,
Gab mir ein'n Ring dabei,
Sie hat die Treu' gebrochen,
Mein Ringlein sprang entzwei.

Ich möcht' als Spielmann reisen
10   Weit in die Welt hinaus,
Und singen meine Weisen,
Und gehn von Haus zu Haus.

Ich möcht' als Reiter fliegen
Wohl in die blut'ge Schlacht,
15   Um stille Feuer liegen
Im Feld bei dunkler Nacht.

Hör' ich das Mühlrad gehen:
Ich weiß nicht, was ich will—
Ich möcht' am liebsten sterben,
20   Da wär's auf einmal still!

---

[1] **Grunde** *valley*

August von Platen
(1796–1835)

DAS GRAB IM BUSENTO

Nächtlich am Busento[1] lispeln bei Cosenza[2] dumpfe Lieder,
Aus den Wassern schallt es Antwort, und in Wirbeln klingt
es wieder!

Und den Fluß hinauf, hinunter ziehn die Schatten tapfrer
Goten,
Die den Alarich[3] beweinen, ihres Volkes besten Toten.

5 Allzufrüh und fern der Heimat mußten hier sie ihn begraben,
Während noch die Jugendlocken seine Schulter blond
umgaben.

Und am Ufer des Busento reihten sie sich um die Wette,[4]
Um die Strömung abzuleiten, gruben sie ein frisches Bette.

In der wogenleeren Höhlung wühlten sie empor die Erde,
10 Senkten tief hinein den Leichnam, mit der Rüstung, auf
dem Pferde.

---

[1] **Busento** *river in southern Italy*
[2] **Cosenza** *Cosentia, a town in southern Italy*
[3] **Alarich** *Alaric, King of the Visigoths, took Rome in A.D. 410 and died in the same year. His followers buried him and his treasure beneath the riverbed of the Busento by temporarily diverting the stream.*
[4] **um die Wette** *they vied (with one another) to . . .*

Deckten dann mit Erde wieder ihn und seine stolze Habe,
Daß die hohen Stromgewächse wüchsen aus dem
Heldengrabe.

Abgelenkt zum zweiten Male, ward der Fluß herbeigezogen:
Mächtig in ihr altes Bette schäumten die Busentowogen.

15 Und es sang ein Chor von Männern: „Schlaf in deinen
Heldenehren!
Keines Römers schnöde Habsucht soll dir je dein Grab
versehren!"

Sangen's, und die Lobgesänge tönten fort im Gotenheere;
Wälze sie, Busentowelle, wälze sie von Meer zu Meere!

DER PILGRIM VOR ST. JUST[1]

„Nacht ist's, und Stürme sausen für und für,[2]
Hispanische Mönche, schließt mir auf die Tür!

Laßt hier mich ruhn, bis Glockenton mich weckt,
Der zum Gebet euch in die Kirche schreckt!

5   Bereitet mir, was euer Haus vermag,
Ein Ordenskleid und einen Sarkophag!

Gönnt mir die kleine Zelle, weiht mich ein!
Mehr als die Hälfte dieser Welt war mein.

Das Haupt, das nun der Schere sich bequemt,
10   Mit mancher Krone ward's bediademt.

Die Schulter, die der Kutte nun sich bückt,
Hat kaiserlicher Hermelin geschmückt.

Nun bin ich vor dem Tod den Toten gleich
Und fall' in Trümmer, wie das alte Reich."

---

[1] *The pilgrim is Charles V, Holy Roman emperor from 1519 to his abdication in 1556. From 1556 to his death in 1558 he lived in retirement in the monastery of St. Just in Spain.*
[2] **für und für** *unceasingly*

Heinrich Heine

(1797–1856)

LORELEI

Ich weiß nicht, was soll es bedeuten,
Daß ich so traurig bin;
Ein Märchen aus alten Zeiten,
Das kommt mir nicht aus dem Sinn.

5   Die Luft ist kühl und es dunkelt,
Und ruhig fließt der Rhein;
Der Gipfel des Berges funkelt
Im Abendsonnenschein.

Die schönste Jungfrau sitzet
10   Dort oben wunderbar,
Ihr goldnes Geschmeide blitzet,
Sie kämmt ihr goldenes Haar.

Sie kämmt es mit goldenem Kamme,
Und singt ein Lied dabei;
15   Das hat eine wundersame,
Gewaltige Melodei.

Den Schiffer im kleinen Schiffe
Ergreift es mit wildem Weh;
Er schaut nicht die Felsenriffe,
20   Er schaut nur hinauf in die Höh'.

Heine

Ich glaube, die Wellen verschlingen
Am Ende Schiffer und Kahn;
Und das hat mit ihrem Singen
Die Lorelei getan.

ES WAR EIN ALTER KÖNIG

Es war ein alter König,
Sein Herz war schwer, sein Haupt war grau;
Der arme alte König,
Er nahm eine junge Frau.

5   Es war ein schöner Page,
Blond war sein Haupt, leicht war sein Sinn;
Er trug die seidne Schleppe
Der jungen Königin.

    Kennst du das alte Liedchen?
10 Es klingt so süß, es klingt so trüb!
Sie mußten beide sterben,
Sie hatten sich viel zu lieb.

DIE GRENADIERE

Nach Frankreich zogen zwei Grenadier',[1]
Die waren in Rußland gefangen.
Und als sie kamen ins deutsche Quartier,
Sie ließen die Köpfe hangen.

5 Da hörten sie beide die traurige Mär:
Daß Frankreich verloren gegangen,
Besiegt und zerschlagen das große Heer—
Und der Kaiser, der Kaiser gefangen.

Da weinten zusammen die Grenadier'
10 Wohl ob[2] der kläglichen Kunde.
Der eine sprach: „Wie weh wird mir,
Wie brennt meine alte Wunde!"

Der andre sprach: „Das Lied ist aus,[3]
Auch ich möcht' mit dir sterben,
15 Doch hab' ich Weib und Kind zu Haus,
Die ohne mich verderben."—

„Was schert mich Weib,[4] was schert mich Kind!
Ich trage weit beßres Verlangen;
Laß sie betteln gehn, wenn sie hungrig sind—
20 Mein Kaiser, mein Kaiser gefangen!

---

[1] **Grenadiere** *grenadiers, infantrymen of Napoleon's Grand Army*
[2] **ob** *because of, over*
[3] **das Lied ist aus** *it's all over*
[4] **was schert mich Weib** *what do I care about wife*

Gewähr' mir, Bruder, eine Bitt':
Wenn ich jetzt sterben werde,
So nimm meine Leiche nach Frankreich mit,
Begrab mich in Frankreichs Erde.

25 Das Ehrenkreuz am roten Band
Sollst du aufs Herz mir legen;
Die Flinte gib mir in die Hand,
Und gürt' mir um den Degen.

So will ich liegen und horchen still,
30 Wie eine Schildwach' im Grabe,
Bis einst ich höre Kanonengebrüll
Und wiehernder Rosse Getrabe.

Dann reitet mein Kaiser wohl über mein Grab,
Viel Schwerter klirren und blitzen;
35 Dann steig' ich gewaffnet hervor aus dem Grab—
Den Kaiser, den Kaiser zu schützen!"

BELSAZER

Die Mitternacht zog näher schon;
In stummer Ruh' lag Babylon.

Nur oben in des Königs Schloß,
Da flackert's, da lärmt des Königs Troß.

5 Dort oben in dem Königssaal
Belsazer[1] hielt sein Königsmahl.

Die Knechte saßen in schimmernden Reihn
Und leerten die Becher mit funkelndem Wein.

Es klirrten die Becher, es jauchzten die Knecht';
10 So klang es dem störrigen Könige recht.

Des Königs Wangen leuchten Glut;
Im Wein erwuchs ihm kecker Mut.

Und blindlings reißt der Mut ihn fort;
Und er lästert die Gottheit mit sündigem Wort.

15 Und er brüstet sich frech und lästert wild;
Die Knechtenschar ihm Beifall brüllt.

Der König rief mit stolzem Blick;
Der Diener eilt und kehrt zurück.

---

[1] **Belsazer** *Belshazzar, Babylonian general of the sixth century B.C., depicted in the Old Testament (Book of Daniel) as the last king of Babylon*

Er trug viel gülden Gerät auf dem Haupt;
20   Das war aus dem Tempel Jehovas geraubt.

Und der König ergriff mit frevler Hand
Einen heiligen Becher, gefüllt bis am Rand.

Und er leert ihn hastig bis auf den Grund
Und rufet laut mit schäumendem Mund:

25   „Jehova! dir künd' ich auf ewig Hohn[2]—
Ich bin der König von Babylon!"

Doch kaum das grause Wort verklang,
Dem König ward's heimlich im Busen bang.

Das gellende Lachen verstummte zumal;
30   Es wurde leichenstill im Saal.

Und sieh! und sieh! an weißer Wand,
Da kam's hervor, wie Menschenhand;

Und schrieb, und schrieb an weißer Wand
Buchstaben von Feuer, und schrieb und schwand.

35   Der König stieren Blicks da saß,
Mit schlotternden Knien und totenblaß.

Die Knechtenschar saß kalt durchgraut,
Und saß gar still, gab keinen Laut.

Die Magier kamen, doch keiner verstand
40   Zu deuten die Flammenschrift an der Wand.

Belsazer ward aber in selbiger Nacht
Von seinen Knechten umgebracht.

---

[2] **dir künd' ich . . . Hohn** *I defy you*

DER ASRA[1]

Täglich ging die wunderschöne
Sultanstochter auf und nieder
Um die Abendzeit am Springbrunn,
Wo die weißen Wasser plätschern.

5   Täglich stand der junge Sklave
Um die Abendzeit am Springbrunn,
Wo die weißen Wasser plätschern;
Täglich ward er bleich und bleicher.

Eines Abends trat die Fürstin
10   Auf ihn zu mit raschen Worten:
„Deinen Namen will ich wissen,
Deine Heimat, deine Sippschaft!"

Und der Sklave sprach: „Ich heiße
Mohamet, ich bin aus Yemmen,[2]
15   Und mein Stamm sind jene Asra,
Welche sterben, wenn sie lieben."

---

[1] **der Asra** *member of the legendary Arabian tribe of Asra*
[2] **Yemmen** *Yemen, a country on the Arabian peninsula*

LIED DES GEFANGENEN RÄUBERS

Als meine Großmutter die Liese[1] behext,
Da wollten die Leut' sie verbrennen.
Schon hatte der Amtmann viel Dinte verkleckst,[2]
Doch wollte sie nicht bekennen.

5   Und als man sie in den Kessel schob,
Da schrie sie Mord und Wehe;[3]
Und als sich der schwarze Qualm erhob,
Da flog sie als Rab' in die Höhe.

Mein schwarzes, gefiedertes Großmütterlein!
10   O komm mich im Turme besuchen!
Komm, fliege geschwind durchs Gitter herein,
Und bringe mir Käse und Kuchen.

Mein schwarzes, gefiedertes Großmütterlein!
O möchtest du nur sorgen,
15   Daß die Muhme nicht auspickt die Augen mein,
Wenn ich luftig schwebe morgen.

---

[1] **Liese** *proper name, diminutive form of* **Elisabeth**
[2] **hatte viel Dinte verkleckst** *had used up a great deal of ink*
[3] **schrie sie Mord und Wehe** *she screamed murder*

Eduard Mörike

(1804–1875)

SCHÖN-ROHTRAUT

Wie heißt König Ringangs Töchterlein?
    Rohtraut, Schön-Rohtraut.
Was tut sie denn den ganzen Tag,
    Da sie wohl nicht spinnen und nähen mag?
5   Tut fischen und jagen.
O daß ich doch ihr Jäger wär'!
Fischen und Jagen freute mich sehr.
   —Schweig stille, mein Herze!

Und über[1] eine kleine Weil',
10   Rohtraut, Schön-Rohtraut,
So dient der Knab' auf Ringangs Schloß
In Jägertracht und hat ein Roß,
    Mit Rohtraut zu jagen.
O daß ich doch ein Königssohn wär'!
15   Rohtraut, Schön-Rohtraut lieb' ich so sehr.
   —Schweig stille, mein Herze!

Einstmals sie ruhten am Eichenbaum,
    Da lacht Schön-Rohtraut:
   „Was[2] siehst mich an so wunniglich?[3]

---

[1] **über** *after*
[2] **was** *why*
[3] **wunniglich** = **wonniglich** *blissfully*

20   Wenn du das Herz hast, küsse mich!"
        Ach, erschrak der Knabe!
    Doch denket er: „Mir ist's vergunnt,"[4]
    Und küsset Schön-Rohtraut auf den Mund.
    —Schweig stille, mein Herze!

25   Darauf sie ritten schweigend heim,
        Rohtraut, Schön-Rohtraut;
    Es jauchzt der Knab' in seinem Sinn:
    „Und würdst du heute Kaiserin,
        Mich sollt's nicht kränken:
30   Ihr tausend Blätter im Walde wißt,
    Ich hab' Schön-Rohtrauts Mund geküßt!
    —Schweig stille, mein Herze!"

---

[4] **vergunnt** = **vergönnt** *granted, permitted*

DAS VERLASSENE MÄGDLEIN

Früh, wann[1] die Hähne krähn,
Eh' die Sternlein verschwinden,
Muß ich am Herde stehn,
Muß Feuer zünden.

5   Schön ist der Flammen Schein,
Es springen die Funken;
Ich schaue so drein,
In Leid versunken.

    Plötzlich, da kommt es mir,
10 Treuloser Knabe,
Daß ich die Nacht von dir
Geträumet habe.

    Träne auf Träne dann
Stürzet hernieder;
15 So kommt der Tag heran—
O ging' er wieder!

---

[1] wann = wenn

DER FEUERREITER[1]

Sehet ihr am Fensterlein
Dort die rote Mütze wieder?
Nicht geheuer muß es sein,[2]
Denn er geht schon auf und nieder.
5   Und auf einmal welch Gewühle
Bei der Brücke, nach dem Feld!
Horch! das Feuerglöcklein gellt:
    Hinterm Berg,
    Hinterm Berg
10   Brennt es in der Mühle!

Schaut! da sprengt er wütend schier
Durch das Tor, der Feuerreiter,
Auf dem rippendürren Tier,
Als[3] auf einer Feuerleiter!
15   Querfeldein! Durch Qualm und Schwüle
Rennt er schon und ist am Ort!
Drüben schallt es fort und fort:
    Hinterm Berg,

---

[1] *Mörike relates the following anecdote in connection with this poem:* "In an old town, so it is told, a mysterious young stranger lived in the gabled attic of a small house, never showing himself, except—according to popular superstition—before the outbreak of a fire. Then he was seen restlessly pacing up and down in front of his window in a bright red cap, a sure sign of impending misfortune. At the first alarm he came galloping out of the stable below on a skinny nag and headed unerringly and quick as a shot in the direction of the fire."
    Popular mythology pictured the "Feuerreiter" as a figure who could magically contain a fire by encircling it on horseback.
[2] **nicht geheuer muß es sein** *strange things must be going on*
[3] **als = wie**

Hinterm Berg
20 Brennt es in der Mühle!

Der so oft den roten Hahn[4]
Meilenweit von fern gerochen,
Mit des heil'gen Kreuzes Span[5]
Freventlich die Glut besprochen[6]—
25 Weh! dir grinst vom Dachgestühle
Dort der Feind[7] im Höllenschein.
Gnade Gott der Seele dein!
Hinterm Berg,
Hinterm Berg
30 Rast er in der Mühle!

Keine Stunde hielt es an,
Bis die Mühle borst[8] in Trümmer;
Doch den kecken Reitersmann
Sah man von der Stunde nimmer.
35 Volk und Wagen im Gewühle
Kehren heim von all dem Graus;
Auch das Glöcklein klinget aus:
Hinterm Berg,
Hinterm Berg
40 Brennt's!—

Nach der Zeit ein Müller fand
Ein Gerippe samt der Mützen
Aufrecht an der Kellerwand
Auf der beinern Mähre sitzen:
45 Feuerreiter, wie so kühle
Reitest du in deinem Grab!

[4] **den roten Hahn** *fire*
[5] **mit des heil'gen Kreuzes Span** *with a wooden crucifix*
[6] **besprochen** *conjured, spoke a charm over*
[7] **der Feind** *Satan*
[8] **borst = barst** *burst, split*

Mörike

Husch![9] da fällt's in Asche ab.
Ruhe wohl,
Ruhe wohl
50   Drunten in der Mühle!

---

[9] **husch!** *interjection expressing a shudder*

Theodor Fontane
(1819–1898)

DIE BRÜCK' AM TAY[1]

(28. Dezember 1879)

When shall we three meet again? (*Macbeth*)

„Wann treffen wir drei wieder zusamm?"
„Um die siebente Stund', am Brückendamm."
„Am Mittelpfeiler."
     „Ich lösche die Flamm."
„Ich mit."
   „Ich komme vom Norden her."
5 „Und ich vom Süden."
      „Und ich vom Meer."
„Hei, das gibt einen Ringelreihn,
Und die Brücke muß in den Grund hinein."
„Und der Zug, der in die Brücke tritt
Um die siebente Stund'?"
      „Ei, der muß mit."
10 „Muß mit."

---

[1] **Tay** *The longest river in Scotland. During a violent storm on the night of December 28, 1879, a train crossed the two-mile railroad bridge spanning the river at Dundee. The center section of the trestle gave way and scores of passengers plunged to their death in the waters below.*

Fontane

„Tand, Tand
Ist das Gebilde von Menschenhand!"

Auf der Norderseite das Brückenhaus—
Alle Fenster sehen nach Süden aus,
Und die Brücknersleut' ohne Rast und Ruh[2]
15   Und in Bangen sehen nach Süden zu,
Sehen und warten, ob nicht ein Licht
Übers Wasser hin „Ich komme" spricht,
„Ich komme, trotz Nacht und Sturmesflug,
Ich, der Edinburger Zug."

20   Und der Brückner jetzt: „Ich seh' einen Schein
Am anderen Ufer. Das muß er sein.
Nun, Mutter, weg mit dem bangen Traum,
Unser Johnie kommt und will seinen Baum,
Und was noch am Baume von Lichtern ist,
25   Zünd' alles an wie zum heiligen Christ,[3]
Der will heuer zweimal mit uns sein—
Und in elf Minuten ist er herein."

Und es war der Zug. Am Süderturm
Keucht er vorbei jetzt gegen den Sturm,
30   Und Johnie spricht: „Die Brücke noch!
Aber was tut es, wir zwingen es doch.[4]
Ein fester Kessel, ein doppelter Dampf,
Die bleiben Sieger in solchem Kampf.
Und wie's auch rast und ringt und rennt,
35   Wir kriegen es unter, das Element.

Und unser Stolz ist unsre Brück';
Ich lache, denk' ich an früher zurück,
An all den Jammer und all die Not

---

[2] **ohne Rast und Ruh** *restlessly, constantly*
[3] **wie zum heiligen Christ** *as at Christmas*
[4] **aber was tut es, wir zwingen es doch** *but what does it matter, we'll make it*

Mit dem elend alten Schifferboot;
40   Wie manche liebe Christfestnacht
Hab' ich im Fährhaus zugebracht
Und sah unsrer Fenster lichten Schein
Und zählte und konnte nicht drüben sein."

Auf der Norderseite, das Brückenhaus—
45   Alle Fenster sehen nach Süden aus,
Und die Brücknersleut' ohne Rast und Ruh
Und in Bangen sehen nach Süden zu;
Denn wütender wurde der Winde Spiel,
Und jetzt, als ob Feuer vom Himmel fiel',
50   Erglüht es in niederschießender Pracht
Überm Wasser unten .. . . Und wieder ist Nacht.

„Wann treffen wir drei wieder zusamm?"
„Um Mitternacht, am Bergeskamm."
„Auf dem hohen Moor, am Erlenstamm."
55   „Ich komme."
            „Ich mit."
                    „Ich nenn' euch die Zahl."
„Und ich die Namen."
                  „Und ich die Qual."
„Hei!
    Wie Splitter brach das Gebälk entzwei."
                „Tand, Tand
Ist das Gebilde von Menschenhand."

Conrad Ferdinand Meyer
(1825–1898)

DIE FÜSSE IM FEUER

Wild zuckt der Blitz. In fahlem Lichte steht ein Turm.
Der Donner rollt. Ein Reiter kämpft mit seinem Roß,
Springt ab und pocht ans Tor und lärmt. Sein Mantel saust
Im Wind. Er hält den scheuen Fuchs[1] am Zügel fest.
5   Ein schmales Gitterfenster schimmert goldenhell
Und knarrend öffnet jetzt das Tor ein Edelmann . . .

„Ich bin ein Knecht des Königs, als Kurier geschickt
Nach Nîmes.[2] Herbergt mich! Ihr kennt des Königs Rock!"[3]
„Es stürmt. Mein Gast bist du. Dein Kleid, was kümmert's
    mich?
10   Tritt ein und wärme dich! Ich sorge für dein Tier!"
Der Reiter tritt in einen dunkeln Ahnensaal,
Von eines weiten Herdes Feuer schwach erhellt,
Und je nach seines Flackerns launenhaftem Licht
Droht hier ein Hugenott im Harnisch, dort ein Weib,
15   Ein stolzes Edelweib aus braunem Ahnenbild . . .
Der Reiter wirft sich in den Sessel vor dem Herd
Und starrt in den lebend'gen Brand. Er brütet, gafft . . .

---

[1] **Fuchs** *chestnut bay horse*
[2] **Nîmes** *city in southern France, a center in the conflict between the Royalist Catholics and the Protestants (Huguenots) in the sixteenth and seventeenth centuries*
[3] **des Königs Rock** *the king's uniform*

Leis sträubt sich ihm das Haar. Er kennt den Herd, den
  Saal . . .
Die Flamme zischt. Zwei Füße zucken in der Glut.

20   Den Abendtisch bestellt die greise Schaffnerin
Mit Linnen blendend weiß. Das Edelmägdlein[4] hilft.
Ein Knabe trug den Krug mit Wein. Der Kinder Blick
Hangt schreckensstarr am Gast und hangt am Herd
  entsetzt . . .
Die Flamme zischt. Zwei Füße zucken in der Glut.
25   „Verdammt! Dasselbe Wappen! Dieser selbe Saal!
Drei Jahre sind's . . . Auf einer Hugenottenjagd . . .
Ein fein, halsstarrig Weib . . . ‚Wo steckt der Junker?
  Sprich!'
Sie schweigt. ‚Bekenn!' Sie schweigt. ‚Gib ihn heraus!'
  Sie schweigt.
Ich werde wild. *Der* Stolz! Ich zerre das Geschöpf . . .
30   Die nackten Füße pack ich ihr und strecke sie
Tief mitten in die Glut . . . ‚Gib ihn heraus!' . . . Sie
  schweigt . . .
Sie windet sich . . . Sahst du das Wappen nicht am Tor?
Wer hieß dich hier zu Gaste gehen,[5] dummer Narr?
Hat er nur einen Tropfen Bluts, erwürgt er dich."
35   Eintritt der Edelmann. „Du träumst! Zu Tische,[6] Gast . . ."
Da sitzen sie. Die drei in ihrer schwarzen Tracht
Und er. Doch keins der Kinder spricht das Tischgebet.
Ihn starren sie mit aufgerißnen Augen an—
Den Becher füllt und übergießt er, stürzt den Trunk,
40   Springt auf: „Herr, gebet jetzt mir meine Lagerstatt!
Müd bin ich wie ein Hund!" Ein Diener leuchtet ihm,
Doch auf der Schwelle wirft er einen Blick zurück
Und sieht den Knaben flüstern in des Vaters Ohr . . .
Dem Diener folgt er taumelnd in das Turmgemach.

---

[4] **das Edelmägdlein** *the nobleman's young daughter*
[5] **wer hieß dich hier zu Gaste gehen** *who told you to seek hospitality here*
[6] **zu Tische** *come to dinner*

45   Fest riegelt er die Tür. Er prüft Pistol und Schwert.
         Gell pfeift der Sturm. Die Diele bebt. Die Decke stöhnt.
         Die Treppe kracht . . . Dröhnt hier ein Tritt? . . .
            Schleicht dort ein Schritt? . . .
         Ihn täuscht das Ohr. Vorüberwandelt Mitternacht.
         Auf seinen Lidern lastet Blei und schlummernd sinkt
50   Er auf das Lager. Draußen plätschert Regenflut.

         Er träumt. „Gesteh!" Sie schweigt. „Gib ihn heraus!" Sie
            schweigt.
         Er zerrt das Weib. Zwei Füße zucken in der Glut.
         Aufsprüht und zischt ein Feuermeer, das ihn verschlingt . . .
         „Erwach! Du solltest längst von hinnen sein! Es tagt!"
55   Durch die Tapetentür in das Gemach gelangt,
         Vor seinem Lager steht des Schlosses Herr—ergraut,
         Dem gestern dunkelbraun sich noch gekraust das Haar.

         Sie reiten durch den Wald. Kein Lüftchen regt sich heut.
         Zersplittert liegen Ästetrümmer quer im Pfad.
60   Die frühsten Vöglein zwitschern, halb im Traume noch.
         Friedsel'ge Wolken schwimmen durch die klare Luft,
         Als kehrten Engel heim von einer nächt'gen Wacht.
         Die dunkeln Schollen atmen kräft'gen Erdgeruch.
         Die Ebne öffnet sich. Im Felde geht ein Pflug.
65   Der Reiter lauert aus den Augenwinkeln: „Herr,
         Ihr seid ein kluger Mann und voll Besonnenheit
         Und wißt, daß ich dem größten König eigen bin.[7]
         Lebt wohl. Auf Nimmerwiedersehn!" Der andre spricht:
         „Du sagst's! Dem größten König eigen! Heute ward
70   Sein Dienst mir schwer . . . Gemordet hast du teuflisch mir
         Mein Weib! Und lebst! . . . Mein ist die Rache, redet Gott."

---

[7] **daß ich dem größten König eigen bin** *that I serve the greatest king*

NACH EINEM NIEDERLÄNDER[1]

Der Meister malt ein kleines zartes Bild,
Zurückgelehnt, beschaut er's liebevoll.
Es pocht. „Herein." Ein flämischer Junker ist's
Mit einer drallen, aufgedonnerten Dirn',
5   Der vor Gesundheit fast die Wange birst.
Sie rauscht von Seide, flimmert von Geschmeid.
„Wir haben's eilig, lieber Meister. Wißt,
Ein wackrer Schelm stiehlt mir das Töchterlein.
Morgen ist Hochzeit. Malet mir mein Kind!"
10   „Zur Stunde,[2] Herr! Nur noch den Pinselstrich!"
Sie treten lustig vor die Staffelei:
Auf einem blanken Kissen schlummernd liegt
Ein feiner Mädchenkopf. Der Meister setzt
Des Blumenkranzes tiefste Knospe noch
15   Auf die verblichne Stirn mit leichter Hand.
„Nach der Natur?"[3]—„Nach der Natur. Mein Kind.
Gestern beerdigt. Herr, ich bin zu Dienst."[4]

---

[1] **nach einem Niederländer** *after the manner of a Dutch master*, i.e., *painter*
[2] **zur Stunde** *at once*
[3] **nach der Natur?** *from life?*
[4] **ich bin zu Dienst** *I am at your service*

Hugo von Hofmannsthal
(1874–1929)

DIE BEIDEN

Sie trug den Becher in der Hand
—Ihr Kinn und Mund glich seinem Rand—,
So leicht und sicher war ihr Gang,
Kein Tropfen aus dem Becher sprang.

5   So leicht und fest war seine Hand:
Er saß auf einem jungen Pferde,
Und mit nachlässiger Gebärde
Erzwang er, daß es zitternd stand.

Jedoch, wenn er aus ihrer Hand
10   Den leichten Becher nehmen sollte,
So war es beiden allzu schwer:
Denn beide bebten sie so sehr,
Daß keine Hand die andre fand
Und dunkler Wein am Boden rollte.

Georg Heym
(1887–1912)

ROBESPIERRE[1]

Er meckert vor sich hin. Die Augen starren
Ins Wagenstroh. Der Mund kaut weißen Schleim.
Er zieht ihn schluckend durch die Backen ein.
Sein Fuß hängt nackt heraus durch zwei der Sparren.

5   Bei jedem Wagenstoß fliegt er nach oben.
Der Arme Ketten rasseln dann wie Schellen.
Man hört der Kinder frohes Lachen gellen,
Die ihre Mütter aus der Menge hoben.

Man kitzelt ihn am Bein, er merkt es nicht.
10   Da hält der Wagen. Er sieht auf und schaut
Am Straßenende schwarz das Hochgericht.

Die aschengraue Stirn wird schweißbetaut.
Der Mund verzerrt sich furchtbar im Gesicht.
Man harrt des Schreis. Doch hört man keinen Laut.

---

[1] **Robespierre** *A fanatical and idealistic leader of the French Revolution. He was overthrown and sent to the guillotine in 1794, a victim of the Reign of Terror he himself had abetted.*

Bertolt Brecht
(1898–1956)

DIE MORITAT[1] VON MACKIE MESSER

Und der Haifisch, der hat Zähne
Und die trägt er im Gesicht
Und Macheath,[2] der hat ein Messer
Doch das Messer sieht man nicht.

5   Ach, es sind des Haifischs Flossen
Rot, wenn dieser Blut vergießt!
Mackie Messer trägt 'nen Handschuh
Drauf man keine Untat liest.

An der Themse[3] grünem Wasser
10   Fallen plötzlich Leute um!
Es ist weder Pest noch Cholera
Doch es heißt: Macheath geht um.

An 'nem schönen blauen Sonntag
Liegt ein toter Mann am Strand
15   Und ein Mensch geht um die Ecke
Den man Mackie Messer nennt.

---

[1] **Moritat** *Ballad about a murder or horrendous event. The word is a corruption of* Mordtat (*murderous act*).
[2] **Macheath** *the* "*hero*" *of Brecht's* Die Dreigroschenoper (The Threepenny Opera), *an amoral, but charming thief and murderer*
[3] **Themse** *River Thames*

Und Schmul Meier bleibt verschwunden
Und so mancher reiche Mann
Und sein Geld hat Mackie Messer
20   Dem man nichts beweisen kann.[4]

Jenny Towler ward gefunden
Mit 'nem Messer in der Brust
Und am Kai geht Mackie Messer
Der von allem nichts gewußt.

25   Wo ist Alfons Glite, der Fuhrherr?
Kommt das je ans Sonnenlicht?
Wer es immer wissen könnte[5]—
Mackie Messer weiß es nicht.

Und das große Feuer in Soho[6]
30   Sieben Kinder und ein Greis—
In der Menge Mackie Messer, den
Man nichts fragt und der nichts weiß.

Und die minderjährige Witwe
Deren Namen jeder weiß
35   Wachte auf und war geschändet—
Mackie, welches war dein Preis?

Und die Fische, sie verschwinden
Doch zum Kummer des Gerichts:
Man zitiert am End den Haifisch
40   Doch der Haifisch weiß von nichts.

---

[4] **dem man nichts beweisen kann** *on whom they can't pin anything*
[5] **wer es immer wissen könnte** *no matter who might know it*
[6] **Soho** *the "thieves' quarter" of London*

Brecht

Und er kann sich nicht erinnern
Und man kann nicht an ihn ran:[7]
Denn ein Haifisch ist kein Haifisch
Wenn man's nicht beweisen kann.

---

[7] **man kann nicht an ihn he(ran)kommen** *they can't get at him, they can't make the charges stick*

DIE SEERÄUBER—JENNY ODER
TRÄUME EINES KÜCHENMÄDCHENS

1

Meine Herren, heute sehen Sie mich Gläser abwaschen
Und ich mache das Bett für jeden.
Und Sie geben mir einen Penny, und ich bedanke mich schnell
Und Sie sehen meine Lumpen und dies lumpige Hotel
5   Und Sie wissen nicht, mit wem Sie reden.
Aber eines Abends wird ein Geschrei sein am Hafen
Und man fragt: Was ist das für ein Geschrei?
Und man wird mich lächeln sehn bei meinen Gläsern
Und man sagt: Was[1] lächelt die dabei?
10   Und ein Schiff mit acht Segeln
        Und mit fünfzig Kanonen
        Wird liegen am Kai.

2

Und man sagt: Geh, wisch deine Gläser, mein Kind
Und man reicht mir den Penny hin.
15   Und der Penny wird genommen und das Bett wird gemacht.
(Es wird keiner mehr drin schlafen in dieser Nacht)
Und sie wissen immer noch nicht, wer ich bin.
Denn an diesem Abend wird ein Getös sein am Hafen
Und man fragt: Was ist das für ein Getös?
20   Und man wird mich stehen sehen hinterm Fenster

---

[1] **was** *why*

Und man sagt: Was lächelt die so bös?
    Und das Schiff mit acht Segeln
    Und mit fünfzig Kanonen
    Wird beschießen die Stadt.

3

25   Meine Herren, da wird wohl Ihr Lachen aufhören
    Denn die Mauern werden fallen hin
    Und die Stadt wird gemacht dem Erdboden gleich[2]
    Nur ein lumpiges Hotel wird verschont von jedem Streich
    Und man fragt: Wer wohnt Besonderer darin?
30   Und in dieser Nacht wird ein Geschrei um das Hotel sein
    Und man fragt: Warum wird das Hotel verschont?
    Und man wird mich sehen treten aus der Tür gen Morgen[3]
    Und man sagt: Die hat darin gewohnt?
        Und das Schiff mit acht Segeln
35   Und mit fünfzig Kanonen
        Wird beflaggen den Mast.[4]

4

    Und es werden kommen hundert gen Mittag an Land
    Und werden in den Schatten treten
    Und fangen einen jeglichen aus jeglicher Tür
40   Und legen ihn in Ketten und bringen vor mir
    Und fragen: Welchen sollen wir töten?
    Und am diesem Mittag wird es still sein am Hafen
    Wenn man fragt, wer wohl sterben muß.
    Und dann werden Sie mich sagen hören: Alle!

---

[2] **wird gemacht dem Erdboden gleich** *will be razed to the ground*
[3] **gen Morgen** *toward morning*
[4] **wird beflaggen den Mast** *will run up the flag, show its colors,* i.e., *the skull and crossbones of a pirate ship*

45   Und wenn dann der Kopf fällt, sag ich: Hoppla![5]
      Und das Schiff mit acht Segeln
      Und mit fünfzig Kanonen
      Wird entschwinden[6] mit mir.

---

[5] **hoppla!** *whoops, be careful!*
[6] **entschwinden** *disappear over the horizon*

DER SCHNEIDER VON ULM[1]

Bischof, ich kann fliegen
Sagte der Schneider zum Bischof.
Paß auf, wie ich's mach!
Und er stieg mit so 'nen Dingen[2]
5   Die aussahn wie Schwingen
Auf das große, große Kirchendach.
    Der Bischof ging weiter.
    Das sind lauter so Lügen
    Der Mensch ist kein Vogel
10   Es wird nie ein Mensch fliegen
    Sagte der Bischof vom Schneider.

Der Schneider ist verschieden
Sagten die Leute dem Bischof.
Es war eine Hatz.
15   Seine Flügel sind zerspellet
Und er liegt zerschellet
Auf dem harten, harten Kirchenplatz.
    Die Glocken sollen läuten
    Es waren nichts als Lügen
20   Der Mensch ist kein Vogel
    Es wird nie ein Mensch fliegen
    Sagte der Bischof den Leuten.

---

[1] **Ulm** *a city in Swabia in southern Germany*
[2] **mit so 'nen Dingen** *with funny looking things*

Erich Kästner

(1899–   )

BALLADE VOM DEFRAUDANTEN

Es folgt das Lied von einem Defraudanten.
Es war ein guter Mensch. Denn das kommt vor.
Ich hörte es von Leuten, die ihn kannten.
Sperrt eure Ohren auf! Er hieß Franz Moor.[1]

5 Es hat bekanntlich alles seine Grenzen.
Franz Moor war mittelblond und ohne Arg,
dazu Kassierer, zog die Konsequenzen[2]
und flüchtete mit 100 000 Mark.

Bis Brüssel[3] blieb er im Klosett[4] des Zugs.
10 Dann war er des Französischen nicht mächtig.[5]
Sie war von schlechtem Ruf und gutem Wuchs.
Und liebten sich. Er fand sie nur zu schmächtig.

Das gibt sich alles.[6]—Dann war sie verblüht.
Mit ihr das Geld, das ihm gar nicht gehörte.

---

[1] **Franz Moor** *a humorous allusion to the evil brother and cynical criminal of this name in Schiller's drama* Die Räuber
[2] **zog die Konsequenzen** *drew conclusions, made the most of it*
[3] **Brüssel** *Brussels, capital of Belgium*
[4] **Klosett** *toilet*
[5] **dann war er des Französischen nicht mächtig** *then he had no command of French*
[6] **das gibt sich alles** *that takes care of itself*

15   Er weinte fast. Denn er war ein Gemüt.[7]
      Das war etwas, was ihn direkt empörte.

      Als ihm ein Steckbrief in die Augen stach,
      mit seinem Bild—von damals als Gefreiter—
      da blieb er stehn und dachte lange nach.
20   Dann kam ein Polizist. Und Moor ging weiter.

      Er sprang ins Wasser, das bei Brüssel floß.
      Jedoch vergeblich. Denn er ging nicht unter.
      Er trank Lysol, das er in Kognak goß.
      Er sprang von einem Aussichtsturm herunter.

25   Er trieb sich öfters Messer in die Schläfen.
      Sechs Kugeln schoß er in den offnen Mund.
      Und war verwirrt, daß sie ihn gar nicht träfen!
      So tat er manches. Doch er blieb gesund.

      Ihm war das peinlich. Und er rang die Hände.
30   Und er erkannte klar: Er stürbe nicht,
      nur weil er das Französisch nicht verstände.
      Anschließend stellte er sich[8] dem Gericht.

      Moral:
      Da sitzt er nun und deutet damit an,
      daß Bildungsmangel gräßlich schaden kann.
35   Es ist der Tiefsinn dieses Sinngedichts:
      Lernt fremde Sprachen!
      Weiter will es nichts.[9]

---

[7] **er war ein Gemüt** *he was sensitive, a man of feeling*
[8] **stellte er sich** *he gave himself up*
[9] **weiter will es nichts** *it has no further purpose; that's all it means*

KURT SCHMIDT, STATT EINER BALLADE

Der Mann, von dem im weiteren Verlauf
die Rede ist,[1] hieß Schmidt (Kurt Schm., komplett).
Er stand, nur sonntags nicht, früh 6 Uhr auf
und ging allabendlich Punkt 8 zu Bett.

5   10 Stunden lag er stumm und ohne Blick.
4 Stunden brauchte er für Fahrt und Essen.
9 Stunden stand er in der Glasfabrik.
1 Stündchen blieb für höhere Interessen.

Nur sonn- und feiertags schlief er sich satt.
10   Danach rasierte er sich, bis es brannte.
Dann tanzte er. In Sälen vor der Stadt.
Und fremde Fräuleins wurden rasch Bekannte.

Am Montag fing die nächste Strophe an.
Und war doch immerzu dasselbe Lied!
15   Ein Jahr starb ab. Ein andres Jahr begann.
Und was auch kam, nie kam ein Unterschied.

Um diese Zeit war Schmidt noch gut verpackt.[2]
Er träumte nachts manchmal von fernen Ländern.
Um diese Zeit hielt Schmidt noch halbwegs Takt.
20   Und dachte: Morgen kann sich alles ändern.

Da schnitt er sich den Daumen von der Hand.
Ein Fräulein Brandt gebar ihm einen Sohn.

---

[1] **von dem die Rede ist** *who is the subject under discussion*
[2] **gut verpackt** *in good shape*

Das Kind ging ein. Trotz Pflege auf dem Land.
(Schmidt hatte 40 Mark als Wochenlohn.)

25 Die Zeit marschierte wie ein Grenadier.
In gleichem Schritt und Tritt.[3] Und Schmidt lief mit.
Die Zeit verging. Und Schmidt verging mit ihr.
Er merkte eines Tages, daß er litt.

Er merkte, daß er nicht alleine stand.
30 Und daß er doch allein stand, bei Gefahren.
Und auf dem Globus, sah er, lag kein Land,
in dem die Schmidts nicht in der Mehrzahl waren.

So war's. Er hatte sich bis jetzt geirrt.
So war's, und es stand fest, daß es so blieb.
35 Und er begriff, daß es nie anders wird.
Und was er hoffte, rann ihm durch ein Sieb.

Der Mensch war auch bloß eine Art Gemüse,
das sich und dadurch andere ernährt.
Die Seele saß nicht in der Zirbeldrüse.
40 Falls sie vorhanden war, war sie nichts wert.

9 Stunden stand Schmidt schwitzend im Betrieb.
4 Stunden fuhr und aß er, müd und dumm.
10 Stunden lag er, ohne Blick und stumm.
Und in dem Stündchen, das ihm übrigblieb,
45 bracht er sich um.

---

[3] **in gleichem Schritt und Tritt** *with precision steps*

DER HANDSTAND AUF DER LORELEY

(Nach einer wahren Begebenheit)

Die Loreley, bekannt als Fee und Felsen,
ist jener Fleck am Rhein, nicht weit von Bingen,[1]
wo früher Schiffer mit verdrehten Hälsen,
von blonden Haaren schwärmend, untergingen.

5   Wir wandeln uns. Die Schiffer inbegriffen.
Der Rhein ist reguliert und eingedämmt.
Die Zeit vergeht. Man stirbt nicht mehr beim Schiffen,
bloß weil ein blondes Weib sich dauernd kämmt.

Nichtsdestotrotz[2] geschieht auch heutzutage
10   noch manches, was der Steinzeit ähnlich sieht.
So alt ist keine deutsche Heldensage,
daß sie nicht doch noch Helden nach sich zieht.

Erst neulich machte auf der Loreley
hoch überm Rhein ein Turner einen Handstand!
15   Von allen Dampfern tönte Angstgeschrei,
als er kopfüber oben auf der Wand stand.

Er stand, als ob er auf dem Barren stünde.
Mit hohlem Kreuz.[3] Und lustbetonten Zügen.[4]
Man frage nicht: Was hatte er für Gründe?
20   Er war ein Held. Das dürfte wohl genügen.

---

[1] **Bingen** *town on the Rhine*
[2] **nichtsdestotrotz** *(comic neologism) nevertheless*
[3] **mit hohlem Kreuz** *with arched back*
[4] **und lustbetonten Zügen** *and with a rapturous expression*

Er stand, verkehrt, im Abendsonnenscheine.
Da trübte Wehmut seinen Turnerblick.
Er dachte an die Loreley von Heine.
Und stürzte ab. Und brach sich das Genick.

25 Er starb als Held. Man muß ihn nicht beweinen.
Sein Handstand war vom Schicksal überstrahlt.
Ein Augenblick mit zwei gehobnen Beinen
ist nicht zu teuer mit dem Tod bezahlt!

P. S. Eins wäre allerdings noch nachzutragen:
30 Der Turner hinterließ uns Frau und Kind.
Hinwiederum, man soll sie nicht beklagen.
Weil im Bezirk der Helden und der Sagen
die Überlebenden nicht wichtig sind.

Günter Grass

(1927–   )

DIE BALLADE VON DER SCHWARZEN WOLKE

Im Sand,
den die Maurer gelassen hatten,
brütete eine Henne.

Von links,
5   von dort kam auch immer die Eisenbahn,
zog auf eine schwarze Wolke.

Makellos war die Henne
und hatte fleißig vom Kalk gegessen,
den gleichfalls die Maurer gelassen hatten.

10   Die Wolke aber nährte sich selber,
ging von sich aus
und blieb dennoch geballt.

Ernst und behutsam
ist das Verhältnis
15   zwischen der Henne und ihren Eiern.

Als die schwarze Wolke
über der makellosen Henne stand,
verhielt sie, wie Wolken verhalten.

Doch es verhielt auch die Henne,
20 wie Hennen verhalten,
wenn über ihnen Wolken verhalten.

Dieses Verhältnis aber
bemerkte ich,
der ich hinter dem Schuppen der Maurer stand.

25 Nein, fuhr kein Blitz
aus der Wolke
und reichte der Henne die Hand.

Kein Habicht nicht,
der aus der Wolke
30 in makellos Federn fiel.

Von links nach rechts,
wie es die Eisenbahn tat,
zog hin die Wolke, verkleinerte sich.

Und niemand wird jemals gewiß sein,
35 was jenen vier Eiern
unter der Henne, unter der Wolke,

im Sand der Maurer geschah.

Vocabulary

The vocabulary includes all words beyond the first 737 entries in J. Alan Pfeffer's *Basic (Spoken) German Word List* (Prentice-Hall, 1964). Archaisms, idioms, and specific historical or literary allusions essential to an understanding of the poems are explained in footnotes.

A

sich **abkehren** turn away
ableiten divert
ablenken divert
absteigen, ie, ie dismount
absterben, (i), a, o fade away, pass
abstürzen plunge headlong
abwaschen, (ä), u, a wash
der **Abzug, ⁼e** departure
die **Acht** care
ach weh! alas!
ächzen moan
die **Ader, -n** vein
das **Ahnenbild, -er** ancestral portrait
der **Ahnensaal, -säle** ancestral hall
ähnlich similar
— **sehen, (ie), a, e** resemble
allda there
allerdings to be sure
allhier here
allüberall in every place
allzumal all at once, all together
der **Altan, -e** balcony
der **Amboß, -e** anvil
der **Amtmann, -leute** magistrate, bailiff
anbinden, a, u tie up, hitch
sich **ändern** change
andeuten indicate, demonstrate

anfassen seize
die (der) **Angel, -n** fishing rod
der **Anger, —** meadow
das **Angesicht, -er** face, countenance
angetan clad, dressed
die **Angst, ⁼e** fear, dread
das **Angstgeschrei** cry of terror
anhalten, (ä), ie, a last, go on
anhören listen
anlegen put on; take aim
ansagen tell
anschauen look at
anschlagen, (ä), u, a strike
anschließend after that, accordingly
anstarren stare at
anzünden light
arg deceitful
das **Arg** malice
ohne — unscheming, guileless
arm poor, wretched, unfortunate
die **Art, -en** kind, sort
die **Asche, -n** ashes
aschengrau ash gray
die **Ästetrümmer** broken branches
atmen breathe; emit
auf:
— **einmal** suddenly, all at once
— **ewig** forever
— **ihn zu** up to him
— **und nieder** up and down
aufbieten, o, o summon
auffassen seize, take hold of

aufgedonnert showily dressed
aufgerissen wide open
aufheben, o, o pick up
aufhören stop
sich **aufmachen** set out, start
aufpassen watch, pay attention
sich **aufraffen** rise quickly, pick one-self up
aufrecht upright
sich **aufrichten** rise
aufschauen look up
aufschließen, o, o open, unlock
aufsperren open wide
aufsprühen flare up
(sich) **auftun, a, a** open
aufwachen wake up
aufwarten wait on, attend
aufziehen, o, o appear (of stars); gather (of clouds)
der **Augenwinkel, —** corner of the eye
ausgehen, i, a proceed (from), issue **von sich —** be self-propelled; be expansive
ausklingen, a, u stop ringing
auslöschen, (i), o, o go out, be extinguished
auspicken peck out
außen outside
der **Aussichtsturm, ⁻e** observation tower
ausspeien, ie, ie spit out

B

die **Backe, -n** cheek
backen, (ä), u, a bake, fry
der **Balkon, -e** balcony
das **Band, ⁻er** ribbon
bang afraid, frightened, anxious
die **Bange** fear
der **Barren, —** parallel bars
sich **bäumen** rear
beben shake, tremble
der **Becher, —** goblet, cup
bedächtig deliberate, measured
bedeuten mean, signify
bedeutsam important, weighty

bediademt crowned
bedrängt besieged
beerdigen bury
befehlen, (ie), a, o commend, entrust
die **Begebenheit, -en** incident, event
begegnen encounter
begehren desire
begnaden pardon
begraben, (ä), u, a bury
begreifen, i, i comprehend, understand
behend(e) quick, swift, nimble
behexen hex, bewitch
behutsam careful, watchful
der **Beifall** approval
das **Bein, -e** leg
beinern bony
beistehen, a, a help
bekennen, a, a confess
beklagen pity, feel sorry for
sich **bequemen** submit to
bereiten prepare
bergen, (i), a, o hide
der **Bergeskamm, ⁻e** mountain ridge
bersten, (i), a, o burst
berücken beguile, ensnare
beschauen look at
beschießen, o, o fire on, bombard, shell
besiegen defeat
die **Besonnenheit** prudence
bestehen, a, a stand, hold good
bestellen set (the table)
beten pray
der **Betrieb, -e** factory, plant
betrügen, o, o deceive
betteln beg
bewegt turbulent, disturbed
beweinen mourn, grieve for
beweisen, ie, ie prove, "pin on"
der **Bezirk, -e** sphere, realm
das **Bildnis, -se** image, features
der **Bildungsmangel** lack of education
der **Bischof, ⁻e** bishop
die **Bitte, -n** request
blank shining, bright; smooth, plain, unadorned
blaß pale

Vocabulary

das **Blatt**, ⁻er leaf
das **Blei** lead
bleich pale
bleichen, i, i grow pale
bleichen (weak verb) bleach
blendend gleaming
der **Blick**, -e look, glance, gaze
  ohne — with a dull stare
blindlings blindly
blinken shine, gleam
der **Blitz**, -e flash of lightning,
  lightning bolt
blitzen flash lightning; flash, glitter,
  glisten
bloß merely, simply
der **Blumenkranz**, ⁻e floral wreath
das **Blut** blood
blutig bloody
(das) **Böhmen** Bohemia
bös(e) wicked, evil, malicious
der **Brand**, ⁻e fire
die **Braut**, ⁻e betrothed, bride-to-be;
  bride
das **Brautgelage**, — wedding feast
der **Bräutigam**, -e betrothed, fiancé;
  bridegroom
brechen, (i), a, o break
brennen, a, a burn, be on fire; smart
das **Brett**, -er board
der **Brückendamm**, ⁻e bridge em-
  bankment
die **Brücknersleute** bridgekeepers
brüllen roar
brummen ring sonorously
die **Brust**, ⁻e breast, chest
sich **brüsten** boast
die **Brut**, -en brood
brüten brood; hatch eggs
der **Bube**, -en youth
der **Buchstabe**, -n letter (of the
  alphabet)
sich **bücken** bend
der (die) **Buhle**, -n sweetheart, lover,
  beloved
bunt brightly colored
die **Bürde**, -n burden, load
die **Burg**, -en castle
der **Bursch(e)**, -n young man; stu-
  dent
der **Busen**, — breast, bosom

die **Busentowelle**, -n wave of the
  Busento
die **Busentowoge**, -n wave of the
  Busento
die **Buße** penance

C

der **Chor**, ⁻e chorus; choir
der **Christ**, -en Christian
die **Christfestnacht** Christmas Eve

D

das **Dachgestühl** rafters, eaves
der **Dampf**, ⁻e steam
der **Dampfer**, — steamer
darauf after that, then
darführen escort
dauernd continuously, repeatedly
der **Daumen**, — thumb
dazu in addition to that
die **Decke**, -n ceiling
decken cover
der **Defraudant**, -en swindler
der **Degen**, — sword; warrior
dennoch nevertheless
deuten interpret
diamanten made of diamonds
die **Diele**, -n floor
dienen serve
der **Diener**, — servant
der **Dienst**, -e service
die **Dinte = die Tinte**, -n ink
direkt downright
die **Dirne**, -n lass
der **Donner**, — thunder
donnern thunder
doppelt double
der **Dorn**, -en thorn
der **Drache**, -n dragon
drall buxom
dreinschauen look down on, stare
  into
drin(nen) in there, within it
droben high up there

Vocabulary

drohen threaten, menace
dröhnen thud, thump
drücken press; oppress
drum = darum for that reason
drunten down there, below
sich **ducken** take shelter
dumm dull, stupid
dumpf muffled
dunkel dark
dunkeln grow dark
durchgrausen fill with horror
durchsausen howl through
dürr withered, dry
düster gloomy, dark

E

die **Ebene, -n** plain
die **Ecke, -n** corner
edel noble
die **Edelfrau, -en** noblewoman, lady
der **Edelmann, -leute** nobleman
ehe before
die **Ehe, -n** marriage
das **Eheband, -e** marriage bond
der **Eheherr, -en** husband
das **Ehrenkreuz, -e** medal of honor
ei! well! all right then!; why of course!
das **Ei, -er** egg
der **Eichenbaum, ⁔e** oak tree
eilen hurry, make haste
eilig quick; hurried
   es — haben be in a hurry
eindämmen dam in, embank
eingehen, i, a perish, die
einkehren call on, visit
einsam alone
die **Einsamkeit** solitude
einst some (future) day
einstmals once, one day
einweihen receive into a (monastic) order
einwiegen rock to sleep
einziehen, o, o draw in
einzig only
das **Eisen, —** iron
die **Eisenbahn, -en** train

die **Eisenstange, -n** iron bar
eisern iron
eitel vain, empty, foolish
elend miserable, wretched
der **Elf, -en** elf
empfangen, (ä), ie, a receive
empören make indignant
sich **emporteilen** rise and separate
emporwühlen turn up
endlich finally, at last
der **Engel, —** angel
entgegenreiten, i, i ride toward
entgegenziehen, o, o go to meet
entsetzt terrified
entzwei in two, in pieces
sich **erbarmen** have mercy
das **Erbarmen** mercy, pity, compassion
der **Erbe, -n** heir
die **Erde, -n** earth, ground, soil
der **Erdgeruch** smell of the earth
erfahren, (ä), u, a find out, discover
erglühen glow, light up
ergraut grown gray
ergreifen, i, i seize, grip
sich **erheben, o, o** rise
erhellen illuminate
erkennen, a, a recognize, realize
der **Erker, —** balcony
erklingen, a, u resound, echo
erleiden, i, i suffer, endure
der **Erlenstamm, ⁔e** alder tree
sich **ermannen** recover
ernähren nourish, feed, support
ernst serious
erreiten, i, i attain by riding
erschauen catch sight of
erschlagen, (ä), u, a kill, slay
erschrecken, (i), a, o be startled
das **Erstaunen** amazement
erstechen, (i), a, o stab to death
erwachen awake
erwachsen, (ä), u, a grow
erwarten await
erweichen soften, relax
sich **erwühlen** heave
erwürgen strangle
erzwingen, a, u compel, force
ewig eternal
   auf — forever
die **Ewigkeit** eternity

Vocabulary

F

fahl pale
das **Fährhaus,** ⁻er ferry house
falls in case, in the event
fangen, (ä), i, a seize, catch; capture, take prisoner, imprison
fassen grasp, hold
fechten, (i), o, o fight (with swords)
die **Feder, -n** feather
die **Fee, -n** fairy, sorceress
fehlen be lacking, be absent
feiertags on holidays
fein lovely, nice, delicate-featured
der **Feind, -e** enemy, foe
Feinslieb darling, sweetheart
der **Fels(en), —** rock, cliff
das **Felsenriff, -e** reef
der **Fensterbogen,** ⁻ arch of a window
fern far, distant, far off
die **Ferne, -n** distance
das **Fest, -e** banquet, feast
der **Festgesang,** ⁻e festive song
feucht wet
—**verklärt** intensified by the water
das **Feuer, —** fire
der **Feuerfunke, -n** spark
das **Feuerglöcklein, —** fire (alarm) bell
die **Feuerleiter, -n** fire (scaling) ladder
das **Feuermeer** sea of fire
finster dark
der **Fisch, -e** fish
fischen fish
der **Fischer, —** fisherman
flackern flicker (of torches, fire)
flämisch Flemish
die **Flamme, -n** flame, light
der **Flammenschein** glow of the flames
die **Flammenschrift** flaming writing, flaming characters
flattern flutter
der **Fleck, -e** spot, place
der **Flecken, —** town, hamlet
der **Fleiß** diligence, zeal
fleißig diligent, assiduous
— **essen, (i), a, e** eat heartily

fliegen, o, o fly; charge
fliehen, o, o flee
fließen, o, o flow
flimmern glitter, sparkle
die **Flinte, -n** musket
die **Flosse, -n** fin
der **Fluch,** ⁻e curse
flüchten flee, make off
der **Flügel, —** wing; wing of a gate
der **Fluß,** ⁻e river
flüstern whisper
die **Flut, -en** water, waves, stream
fort away, forth, off
— **und** — continually
fortfahren, (ä), u, a continue
fortreißen, i, i carry away
forttönen continue to resound
forttreiben, ie, ie drive away
fortziehen, o, o go away, depart
frank bold
(das) **Frankreich** France
(das) **Französisch(e)** French (language)
frech bold, impudent, shameless
freien court, woo
freudig joyous, cheerful
frevel(haft) wicked, blasphemous
freventlich blasphemous, sacrilegious
der **Friede(n)** peace
friedselig peaceful
fromm good, worthy, just
der **Fuhrherr, -leute** teamster boss
füllen fill
der **Funke, -n** spark
funkeln sparkle, glisten
furchtbar frightful, terrible

G

gaffen stare
gähnen yawn
der **Gang,** ⁻e walk, gait; corridor
gar at all; very; entirely, completely
der **Gast,** ⁻e guest
die **Gattin, -nen** wife
das **Gebälk** beams, girders
geballt concentrated

Vocabulary

die **Gebärde, -n** gesture, movement, motion
gebären, (ie), a, o bear, give birth to
das **Gebet, -e** prayer
das **Gebilde,** — thing constructed, structure
das **Gebirge,** — highlands, mountains
gedämpft muffled
die **Geduld** patience
die **Gefahr, -en** danger
bei — in times of danger
der **Gefangene, -n** prisoner
gefiedert feathered
der **Gefreite, -n** army corporal
das **Geheul** howling, wailing
das **Gehirn, -e** brain
gehorsam obedient
der **Geier,** — hawk
der **Geist, -er** ghost, spirit
geistlich clerical, ecclesiastic
das **Geländer,** — railing, railed stairway
gelangen reach, get to
gelassen calm
gell shrill
gellen sound loud and shrill
das **Gemahl, -e** spouse, consort
das **Gemäuerwerk** stone walls
das **Gemüt, -er** mind; soul; spirit
das **Genick, -e** neck
das **Gerät, -e** vessels, utensils
das **Gericht, -e** court of law
das **Gerippe,** — skeleton
die **Gerte, -n** whip
der **Gesang, ⁼e** singing
das **Geschmeide** jewelry
das **Geschöpf, -e** creature
das **Geschrei, -e** shouting
geschwind swift, quick
der **Geselle, -n** apprentice
das **Gesicht, -er** face
das **Gesindel,** — rabble, mob
gesinnt disposed
die **Gestalt, -en** form, figure, body
gestehen, a, a confess
das **Getös(e)** deafening noise, uproar, din
das **Getrabe** hoofbeats, trotting
gewaffnet armed
gewähren grant

die **Gewalt, -en** force; authority
gewaltig powerful
das **Gewand, ⁼er** garment
der **Gewinn, -e** profit
das **Gewinsel** moaning
das **Gewühl(e)** tumult, throng, bustling crowd
gießen, o, o pour
der **Gipfel,** — peak
das **Gitter,** — bars
das **Gitterfenster,** — barred window
das **Gittertor, -e** iron gate
das **Glas, ⁼er** glass
die **Glasfabrik, -en** glass factory
gleichen, i, i be like; be level with
gleichfalls likewise
das **Glied, -er** limb
der **Globus, Globen** globe
die **Glocke, -n** bell
der **Glockenton, ⁼e** sound of bells
die **Glut, -en** fire, flames; radiance
die **Gnade, -n** mercy, clemency, quarter
gnädig merciful
das **Goldgewand, ⁼er** golden robe, dress
gönnen grant; bequeath
der **Gote, -n** Goth (Germanic tribe)
das **Gotenheer, -e** army of the Goths
die **Gottheit** deity
gottlob! thank God!
das **Grab, ⁼er** grave
graben, (ä), u, a dig
gräßlich terrible, terrifying, gruesome
grau gray
grauen dawn, grow light
grauen be horrified, shudder, be afraid
das **Grauen** horror
der **Graus** horror
grausen shudder with horror, stand on end with fright (of hair)
graus(ig) horrible, terrible
greis aged
der **Greis, -e** old man
die **Grenze, -n** limit
greulich frightful
grimmig fierce, angry
grinsen grin, leer

die **Großmutter,** " grandmother,
granny
die **Gruft,** "e grave, crypt, tomb
der **Grund,** "e reason; ground; bottom; valley
der **Gruß,** "e greeting
gülden = **golden** golden
das **Gut,** "er possession

H

das **Haar,** -e hair
die **Habe** possessions, wealth
der **Habicht,** -e hawk
die **Habsucht** greed, avarice
der **Hader** struggle, dispute
hadern quarrel, dispute
der **Hafen,** " harbor
der **Hagedorn** hawthorn
der **Hahn,** "e cock, rooster
der **Haifisch,** -e shark
der **Hain,** -e wood, thicket
halbwegs tolerably, more or less
die **Hälfte,** -n half
die **Halle,** -n hall
der **Hals,** "e neck
halsstarrig stubborn, obstinate
der **Handschuh,** -e glove
der **Harnisch,** -e suit of armor
harren (with gen.) wait for
hart hard; stubborn; close
der **Haselbusch,** "e hazel bush
hastig quick, hasty
die **Hatz,** -en "big show," "tremendous spectacle"
der **Haufe(n),** — pile, heap; large quantity
das **Haupt,** "er head
hausen stay, remain
heben, o, o raise, lift
die **Hecke,** -n hedge
das **Heer,** -e army
die **Heeresmacht** military forces, troops
hei! ho!
die **Heide,** -n meadow, heath
heilig holy, sacred
die **Heimat,** -en native land, homeland

heimführen bring home, carry off
heimkehren return home
heimlich secret
heimreiten, i, i ride home
heimziehen, o, o march home
der **Held,** -en hero
die **Heldenehre,** -n hero's honor
das **Heldengrab,** "er hero's grave
die **Heldensage,** -n heroic legend
hell bright
das **Hemd,** -en shirt
die **Henne,** -n hen
herausgeben, (i), a, e surrender, hand over
herbeiziehen, o, o channel back
herbergen give food and lodging
der **Herd,** -e hearth, stove
herein! come in!
herkehren return
der **Hermelin,** -e ermine
herniederstürzen pour forth
der **Herr,** -en gentleman; lord; Sir
herrlich splendid, glorious
sich herumlagern lie down
herumscherzen trifle with, have fun with
heruntersteigen, ie, ie descend
hervorschwanken stagger out
hervorsteigen, ie, ie climb forth
herwehen drift
das **Herz,** -en heart
der (die) **Herz(aller)liebste** beloved, darling
heuer this year
heulen howl, wail
die **Hexe,** -n sorceress, enchantress
der **Himmel,** — sky, heaven
der **Himmelsbogen** arc of heaven, firmament
hinabschleudern hurl down
hineinsenken lower
hinfahren, (ä), u, a go to a place; be gone, perish
(von) hinnen away from here
hinreichen hand over, give
hinreißen, i, i charm, delight
hinwiederum on the other hand
die **Hippe,** -n scythe
hispanisch Spanish
hochgelobt blessed

das **Hochgericht, -e** gallows, place of execution, guillotine
die **Hochzeit, -en** wedding
der **Hochzeitreigen,** — wedding dance
die **Hochzeitsleute** wedding guests
die **Hochzeit(s)schar** wedding party
der **Hof,** ᵘe country house; manor; palace; court
die **Höhe, -n** height(s)
hohläugig hollow-eyed
die **Höhlung, -en** hollow, cavity
der **Hohn** scorn, derision, mockery
holla! hallo!
die **Hölle, -n** hell
der **Höllenschein** infernal glow
horchen listen
der **Huf, -e** hoof
die **Hugenottenjagd** search for Huguenots
huhu! interjection expressing horror
hui! in a flash
der **Hund, -e** dog
hungrig hungry
hurre! hey!
husch! quick!
hüten guard, tend

I

immerzu always, continually
inbegriffen included
irdisch earthly
irreführen lead astray
irren roam, stray
sich **irren** be mistaken, err

J

jagen hunt
der **Jäger,** — hunter, huntsman
die **Jägertracht, -en** hunter's uniform
jäh steep, precipitous
der **Jammer** misery, distress; pity, compassion

jauchzen rejoice, exult, shout with joy
je nach according to, depending on
jedoch however, but
jeglicher every, each, everyone
jemals ever
der **Jubelschall, -e** joyous shout
die **Jugendlocke, -n** youthful lock (of hair)
die **Jungfrau, -en** maiden
der **Junker,** — nobleman; wealthy landowner

K

der **Kahn,** ᵘe boat
der **Kai, -e** dock, wharf, pier
der **Kaiser,** — emperor
die **Kaiserin, -nen** empress
kaiserlich imperial
der **Kalk, -e** lime, chalk
der **Kamm,** ᵘe comb
kämmen comb
die **Kammer, -n** room, chamber
der **Kampf,** ᵘe struggle, contest
die **Kampfbegier** lust for battle
kämpfen struggle, fight
das **Kampfspiel, -e** fight, contest
die **Kanone, -n** cannon
das **Kanonengebrüll** roar of cannon
der **Kanzler,** — chancellor
der **Käse,** — cheese
der **Kassierer,** — cashier
die **Katze, -n** cat
kauen chew
keck bold, daring
der **Kessel,** — kettle; boiler
die **Kette, -n** chain
der **Kettentanz,** ᵘe chain dance
der **Kies, -e** gravel
das **Kinn, -e** chin
die **Kirche, -n** church
das **Kirchendach,** ᵘer roof of the church
der **Kirchhof,** ᵘe graveyard
das **Kissen,** — pillow
kitzeln tickle
die **Klafter, -n** a measure of distance (two arms' length)

Vocabulary

die **Klage, -n** lament
das **Klagelied, -er** mournful song
kläglich sad, deplorable
der **Klang,** ⁔e sound; music; beat
klimmen, o, o climb
klingen, a, u sound, ring, resound, echo
klinglingling! ting-a-ling!
Kling und Klang ringing music
klirren clatter, clash, ring, clank, jingle
das **Kloster,** ⁔ cloister, convent
klug wise, sensible
der **Knabe, -n** youth, lad, boy, fellow; page
knarren creak
der **Knecht, -e** follower, vassal, servant, squire
die **Knechtenschar, -en** group of followers
das **Knie, -(e)** knee
die **Knospe, -n** bud
der **Koller,** — doublet, jacket
kommandieren order, detail
komplett in full
der **König, -e** king
das **Königsmahl, -e** royal banquet
der **Königssaal, -säle** royal hall, throne room
kopfüber head over heels, upside down
der **Körper,** — body
krachen crash, roar; creak
kräftig strong, powerful
krähen crow
kränken grieve, offend
der **Kranz,** ⁔e circle; wreath
sich **krausen** curl
das **Krautgärtlein,** — vegetable garden
das **Kreuz, -e** cross, crucifix
kreuz und quer in all directions
kriechen, o, o crawl
die **Krone, -n** crown
der **Krug,** ⁔e pitcher, jug
der **Kuchen,** — cake
das **Küchenmädchen,** — kitchen maid
die **Kugel, -n** bullet
kühl cool; calm, unperturbed
die **Kühle** coolness, freshness; breeze

sich **kühlen** cool, calm down, abate
der **Kummer** distress
kümmern concern
die **Kunde, -n** news
die **Kundschaft, -en** information, news
künden announce
der **Kurier, -e** courier
der **Kuß,** ⁔e kiss
küssen kiss
der **Küster,** — sexton
die **Kutte, -n** cowl, monk's hood

L

sich **laben** refresh oneself
lächeln smile
lachen laugh
laden, (lädt), u, a summon
das **Lager,** — bed; military camp
die **Lagerstatt,** ⁔e bed, lodging
langen reach out and seize
längst long ago
lärmen make an uproar, clamor
die **Last, -en** burden
lasten lie heavy
lästern blaspheme
lauern look keenly, slyly
der **Lauf,** ⁔e ride
launenhaft fitful, changeable
lauschen listen
laut loud
der **Laut, -e** sound
läuten ring
lauter nothing but, sheer
lebendig lively, vivid
die **Lebensglut** glow of life
lebt wohl! farewell!
ledig free, rid, delivered
leeren empty, drain
sich **lehnen** lean
der **Leib, -er** body
die **Leiche, -n** (dead) body
der **Leichenstein, -e** gravestone
leichenstill deathly quiet
der **Leichenzug,** ⁔e funeral procession
der **Leichnam, -e** corpse
leid disagreeable, painful

das **Leid, -en** harm, hurt; suffering, sorrow
leiden, i, i suffer
leise soft, quiet, gentle; imperceptible
der **Leu, -en** lion
leuchten shine, glow; light the way
licht bright
das **Lid, -er** eyelid
das **Liebchen,** — darling, sweetheart
das **Liebesband, -e** tie of love
der **Liebesblick, -e** loving glance
liebevoll affectionate
sich liebhaben love one another
liebherzen embrace
liebkosen caress
die **Liebste, -n** sweetheart, beloved
die **Lilienhand, ⁼e** lily-white hand
lindern alleviate, ease
links the left
das **Linnen,** — linen
lispeln whisper
die **List, -en** cunning, guile
das **Lob** praise
der **Lobgesang, ⁼e** song of praise
locken entice, lure
löschen put out, extinguish
lose gentle; loose
der **Löwe, —n** lion
der **Löwengarten, ⁼** lion pit, arena
luftig ghostly; in the air
die **Lüge, -n** lie
der **Lumpen,** — rag; tattered dress
lumpig shabby
die **Lust, ⁼e** desire

M

die **Macht, ⁼e** force(s)
mächtig mighty
das **Mädel,** — girl, maiden
die **Magd, ⁼e** maiden
das **Mägdlein,** — girl; servant girl
der **Magier,** — wise man
die **Mähne, -n** mane
die **Mähre, -n** mare
makellos spotless
malen paint
der **Mantel, ⁼** cloak, mantel
die **Mär, -en** news, report

das **Märchen,** — tale
marschieren march
die **Mauer, -n** wall
der **Maurer,** — bricklayer, mason
meckern bleat
das **Meer, -e** sea
die **Mehrzahl** majority
meilenweit miles away
der **Meineid, -e** false oath
die **Menge, -n** crowd
die **Menschenlist** human guile
der **Menschenwitz** human stratagem
das **Messer,** — knife
der **Met** mead
minderjährig under age, very young
die **Mitte, -n** middle, midst
mittelblond "dirty" blond, light brown
der **Mittelpfeiler,** — center pile (of a bridge)
mitten midway, between
— **in** right in
die **Mitternacht** midnight
der **Mönch, -e** monk
der **Mond, -e** moon
der **Mond(en)schein** moonlight
der **Mondenglanz** bright moonlight
der **Mondesschimmer** pale moonlight
das **Moor, -e** moor
das **hohe** — Highland moor
der **Mord, -e** murder
morden murder
die **Mordsucht** bloodlust, desire to kill
das **Morgenrot** dawn
müde tired
die **Mühle, -n** mill
das **Mühlenrad, ⁼er** mill wheel
die **Muhme, -n** female relation, aunt, cousin
der **Müller,** — miller
der **Mund, ⁼er** mouth
munter cheerful, gay
mürb rotten
murren growl
der **Mut** courage
mutig brave, courageous, spirited, eager
die **Mütze, -n** cap

N

nachdenken, a, a reflect, ponder
nachkrabbeln crawl after
nachlässig casual, relaxed
nachprasseln clatter after
nachrennen, a, a run after
nächtlich nocturnal
nachtragen, (ä), u, a add
der Nacken, — neck
nackt naked, bare
nähen sew
sich nähren nourish oneself, support
   oneself
der Narr, -en fool
der Nebel, — mist
der Nebelstreif, -e streak of mist
das Nest, -er nest; town
netzen make wet, wash
neulich recently
   erst — only recently
nieder down
niederbeugen bend down
sich niederneigen lean down
niederschießen, o, o shoot down,
   rush down
sich niederstrecken stretch out
niederzwingen, a, u force down
nimmer never, never again
nimmermehr never
das Nönnchen, — nun
der Norden north
die Not, ̈e trouble, difficulty
not (nötig) haben need

O

(sich) öffnen open
das Ohr, -en ear
das Ordenskleid, -er monastic garb
der Osten east

P

packen seize
der Panzer, — armor, coat of mail

der Paukenschlag, ̈e beating of
   kettledrums
peinlich distressing
die Pest, -en plague
der Pfad, -e path
der Pfaffe, -n priest
pfeifen, i, i whistle
das Pferd, -e horse
   zu —e on horseback
die Pflege, -n care, nursing
der Pflug, ̈e plough
die Pforte, -n door, gate
der Pfortenring, -e portal bell, door-
   knocker
der Pinselstrich, -e brushstroke
plätschern splash
pochen knock
der Polizist, -en policeman
die Pracht splendor
der Preis, -e fee, price
proben try out
prüfen test, check

Q

die Qual, -en suffering, agony
der Qualm thick smoke
das Quartier, -e sector, territory
quer across
die Quere und Länge in every di-
   rection, the length and breadth
querfeldein across open fields

R

der Rabe, -n raven, crow
das Rabenhaar, -e black (raven)
   hair
die Rache revenge, retribution
das Rad, ̈er rack; wheel
der Rand, ̈er edge, brim
der Rappe, -n black horse
rasch quick, swift, sudden
rasen rage
sich rasieren shave
rasseln clink, jingle; rustle
rasten rest, remain

raten, (ä), ie, a advise, counsel
rauben steal, plunder
der **Räuber, —** robber, highwayman
rauschen murmur; rush, swirl; rustle
das **Recht, -e** right(s), privilege
rechts the right
recken stretch out
reden talk, say
sich **regen** move, stir
die **Regenflut** heavy rain
regulieren regulate
das **Reh, -e** deer
reich rich
das **Reich, -e** kingdom, realm; empire
reichen extend, give
der **Reif, -e** circle
die **Reihe, -n** row
sich **reihen** line up
der **Reihen, —** dance
das **Reis, —er** branch
die **Reise, —en** journey
reiten, i, i ride
der **Reiter, —** horseman, rider. cavalryman
reizen charm, attract
rennen, a, a run, race, rush
die **Rettung, -en** escape, rescue
der **Rhein** Rhine River
riechen, o, o smell
der **Riegel, —** bolt
riegeln bolt
der **Riese, -n** giant
der **Ringelreihen, —** round dance, merry dance
ringen, a, u struggle
das **Ringlein, —** ring
rings roundabout, all around
rinnen, a, o run, trickle
rippendürr lean and bony, scraggy
der **Ritter, —** knight; chevalier
rollen roll; flow
der **Römer, —** Roman
rosig rose-colored
das **Roß, -e** horse
rudern flail about
der **Ruf, -e** character, repute
rufen, ie, u call, cry, shout
die **Ruhe** rest, peace, stillness, repose
ruhen rest
ruhevoll calm
rühren move, touch
rundum all around
(das) **Rußland** Russia
die **Rüstung, -en** armor
die **Rute, -n** rod

S

der **Saal, Säle** hall
die **Saite, -n** string music
das **Sakrament, -e** sacrament; consecrated Host
samt together with
sanft gentle
der **Sarg, ⁽ᵘ⁾e** coffin
der **Sarkophag, -e** coffin
sasa! ho! ho!
satt satisfied, full
  sich — schlafen, (ä), ie, a sleep late, sleep to one's heart's content
satteln saddle
säumen delay
säuseln rustle, whisper
sausen roar, rush; flutter, flap
der **Schädel, —** skull
schaden damage, harm
die **Schaffnerin, -nen** housekeeper
schallen ring out, resound, echo
die **Schande, -n** disgrace
schänden ravish, rape
scharf sharp, pointed
der **Scharlach** scarlet cloth
scharren paw the ground (of horses)
der **Schatten, —** shadow(s)
der **Schatz, ⁽ᵘ⁾e** sweetheart, lover, beloved
schauen look, see, gaze
schauern shudder, feel dread
schäumen foam, rush
das **Schauspiel, -e** spectacle, sight
die **Schelle, -n** small bell
der **Schelm, -e** rascal, rogue, fellow
schenken give, present, grant
die **Schere, -n** scissors
scheu wary, cautious; shying (of horses)
das **Schicksal, -e** fate
schieben, o, o shove, push

schier sheer, altogether, completely
schießen, o, o shoot
das **Schiffen** sailing, navigating
der **Schiffer, —** sailor, boatsman
das **Schifferboot, -e** ferry boat
der **Schild, -e** shield
die **Schildwache, -n** sentinel
schimmern shine, glitter
die **Schlacht, -en** battle
die **Schlafbuhle, -n** mistress
die **Schläfe, -n** temple
der **Schlag, ⁓e** blow; fall
schlagen, (ä), u, a strike, beat; slay, defeat in battle; spew (flames)
schleichen, i, i creep, move furtively
der **Schleier, —** veil
der **Schleim, -e** mucus
die **Schleppe, -n** train of a dress
schlingen, a, u clasp
das **Schloß, ⁓er** castle, palace; lock
schlottern tremble, shake
schlucken swallow, gulp
schlummern sleep
schmächtig thin, frail, skinny
schmal narrow
der **Schmaus, ⁓e** feast, banquet
der **Schmerz, -en** pain, suffering; grief, sorrow
die **Schmiede, -n** smithy, forge
schmieden forge
der **Schmuck, -e** jewels, finery
schmücken adorn
schnauben, o, o gasp for breath, snort
schneiden, i, i cut
der **Schneider, —** tailor
schnöd vile, base
schnurren snarl
die **Scholle, -n** soil
schrecken frighten
schreckensstarr rigid with fright
der **Schrei, -e** scream
schreien, ie, ie scream
der **Schrein, -e** chest; coffin
der **Schritt, -e** step, tread
die **Schulter, -n** shoulder
der **Schuppen, —** shed, shack
sich **schürzen** tuck up one's skirt
schütteln shake
schützen defend
schwach weak

schwank supple
schwärmen rave deliriously
schweben hover; dangle, "swing"
der **Schweif, -e** train of a robe; tail
schweigen, ie, ie be silent
schweißbetaut covered with sweat
die **Schwelle, -n** doorstep
schwellen, (i), o, o swell, rise
das **Schwert, -er** sword
schwinden, a, u vanish, disappear
die **Schwinge, -n** wing
sich **schwingen, a, u** spring, vault
schwitzen sweat
schwören swear
die **Schwüle** sultriness; stifling heat
die **Seele, -n** soul
der **Seeräuber, —** pirate
das **Segel, —** sail
der **Segen, —** blessing
sehnsuchtsvoll full of longing
die **Seide, -n** silk
seiden silken
selb(ig) same
die **Seligkeit** supreme bliss, salvation
selig werden be saved
der **Sessel, —** armchair
die **Seuche, -n** pestilence
sicher sure, steady, firm
sichtbarlich visible
das **Sieb, -e** sieve
der **Sieger, —** victor, winner
Sing und Sang singing
der **Sinn, -e** mind, sense; attitude
das **Sinngedicht, -e** epigram
die **Sippschaft** tribe
sitzen, a, e sit; be in prison
der **Sklave, -n** slave
sogleich immediately
sorgen see to it
sorgen für take care of
der **Sparren, —** wooden bar
spiegelklar mirror-clear, limpid
das **Spiel** playing (of music)
der **Spielmann, -leute** minstrel
die **Spindel, -n** axle; gibbet
der **Splitter, —** splinter, chip
der **Sporn, Sporen** spur
spotten taunt, mock
sprengen gallop
der **Springbrunn(en), —** fountain

Vocabulary

springen, a, u spring, jump, leap; fly up; spill
sprühen flash
der Sprung, ⁻e leap
der Stab, ⁻e staff, stick
der Städter, — townsman, citizen
die Staffelei, -en easel
der Stahl, -e steel
der Stamm, ⁻e tribe
starren stare
statt instead of, in place of
die Stätte, -n place (of execution)
stechen, (i), a, o pierce, stab
in die Augen — strike one's eye
der Steckbrief, -e wanted poster, warrant for arrest
der Stecken, — stick, staff, pole
stecken be located; hide
stehlen, (ie), a, o steal, rob
steigen, ie, ie climb; rise
steil steep
die Stelle, -n place
zur — sein be there
der Stern, -e star
stieben, o, o fly about
stier fixed, staring, vacant
stillschweigen, ie, ie be silent
die Stirn(e), -n forehead, brow
stöhnen groan
stolz proud, haughty
der Stolz pride, haughtiness, arrogance
störrig headstrong, stubborn
der Strahl, -e ray; glitter, radiance
der Strand, -e strand, shore
sich sträuben bristle
streben strive, aspire to; soar
strecken stretch; hold
der Streich, -e blow, attack
der Strom, ⁻e stream, river
das Stromgewächs, -e water plant
die Strophe, -n stanza
die Strömung, -en stream, current
die Stufe, -n step; stairs
stumm silent
der Sturm, ⁻e storm
stürmen storm
der Sturmesflug gale wind, hurricane
stürzen fall, plunge, rush; overturn
stutzen stop short, hesitate

der Süden south
der Süderturm, ⁻e south tower
sündig sinful
süß sweet

T

tagen dawn, grow light
der Takt, -e time, beat, measure
— halten, (ä), ie, a keep time, stay in step
der Tand trifle, paltry thing, childish toy
die Tapetentür, -en concealed door
tappen grope
tapfer brave
die Tatze, -n claw
der Tau dew
taumeln stumble, stagger
täuschen deceive
der Teich, -e pond
teuflisch diabolical
der Tiefsinn profound meaning
das Tier, -e animal
das Tischgebet grace (prayer)
der Tod, -e death
die Todesglut deadly glow of light
tönen sound, resound
das Tor, -e gate
tot dead
der Tote, -n dead person
die Totenbahre, -n bier, coffin
totenblaß deathly pale
der Totensang, ⁻e funeral song
töten kill
die Tracht, -en dress, habit
die Träne, -n tear
trapp! clop!
das Trauerkleid, -er mourning clothes
trauern lament, grieve
der Traum, ⁻e dream; daydream, fantasy
träumen dream
traurig sad
traut dear, beloved
treffen, (i), a, o hit, strike; meet, come upon
treiben, ie, ie drive

sich **trennen** separate
die **Treppe, -n** stairs
treu faithful
die **Treue** faithfulness, fidelity
treulos unfaithful
der **Tritt, -e** step
die **Trommel, -n** drum
der **Tropfen, —** drop
der **Troß, -e** followers, retinue
trotz in spite of
trüb sad
trüben cloud, dim, darken
der **Trug** deceit
die **Trümmer** (pl.) fragments, pieces, ruins
der **Trunk, ⁻e** drink
das **Tuch, ⁻er** cloth, shroud
sich **tummeln** hurry
der **Turm, ⁻e** tower; dungeon
das **Turmgemach, ⁻er** tower room
der **Turner, —** gymnast, athlete
der **Turnerblick** gymnast's eye, view

U

übergießen, o, o spill
der **Überlebende, -n** survivor
überreißen, i, i overflow
überstrahlen irradiate, suffuse with light
übrigbleiben, ie, ie remain, be left over
das **Ufer, —** shore, bank
umbringen, a, a kill, murder
sich **umbringen, a, a** commit suicide
umfallen, (ä), ie, a fall down, collapse
umgeben, (i), a, e encircle
umgehen, i, a go about, stalk, be on the prowl
umgürten buckle on
sich **umsehen, (ie), a, e** look around
das **Ungeheuer, —** monster, frightful creature
(das) **Ungerland** (commonly **Ungarn**) Hungary
der **Unkenruf, -e** croaking of toads
die **Untat, -en** monstrous deed

unterkriegen get the better of, defeat
der **Unterschied, -e** difference, distinction
untreu unfaithful
unverzagt undismayed, undaunted

V

der **Vatersaal, -säle** ancestral hall
(das) **Vaterunser** the Lord's Prayer
verblichen pale
verblühen fade, cease to blossom
verbrennen, a, a burn
verdammen damn, condemn
verdammt! damnation!
verderben, (i), a, o perish
verdreht twisted, contorted
verfallen in ruins, decayed
verführen lead astray, mislead
vergeblich in vain
vergehen, i, a pass, elapse; waste away
vergießen, o, o shed, spill
vergleichen, i, i compare
verhalten, (ä), ie, a hold back, hesitate
sich **verhalten** act, behave; have a relationship
das **Verhältnis, -(ss)e** relationship
verheißen, ie, ei promise
verkehrt upside down
sich **verkleinern** grow smaller, diminish
verklingen, a, u die away (of sound)
das **Verlangen** desire
verlassen, (ä), ie, a leave; abandon, jilt
der **Verlauf** course, development (of a story)
verlorengehen, i, a be lost
vermessen presumptuous, arrogant
vermögen, (a), o, o be able, be capable of
vernehmen, (i), a, o hear
vernehmlich distinct, audible
verrinnen, a, o run out
verscheiden, ie, ie die, depart this life

115

Vocabulary

verschlingen, a, u swallow up
verschonen spare
verschwinden, a, u disappear, vanish, go away; perish
versehren desecrate
versenken lower
versinken, a, u sink down, be immersed; collapse
versprechen, (i), a, o promise
verstehen, a, a understand; know how to
verstummen become silent
vertrauern languish
verwirrt bewildered, perplexed
sich verzerren grimace, twist out of shape
die Verzweiflung despair
der Vogel, ⁔ bird
vollbringen, a, a finish, complete, end
vonnöten necessary
vorbei past; over, done with
vorbeifegen sweep past, miss the target
vorbeikeuchen pant past, chug past
vorhanden present
die Vorsehung Providence
vor sich hin to oneself
vorüber past, gone
vorüberwandeln go by

W

wachen be awake
die Wacht, -en watch, guard duty
wachsen, (ä), u, a grow; swell
wacker lusty
der Wagenstoß jolt of the cart
das Wagenstroh straw of the cart
der Wahn delusion
das Waldhorn, ⁔er hunting horn
das Wallen surging
wälzen roll, carry
sich wandeln change
die Wange, -n cheek
das Wappen, — coat of arms
ward (arch. past tense of werden) = wurde
warten wait; wait on, attend

was auch no matter what
was für ein? what sort of?
wecken wake, rouse from sleep
weder . . . noch neither . . . nor
weh! alas!
— mir! woe is me!
wie — wird mir how my heart aches
das Weh woe, tormenting desire
wehen billow, flutter
sich wehren defend oneself
wehtun, a, a hurt, pain
das Weib, -er woman; wife; bride
weichen, i, i withdraw, retreat
die Weide, -n willow
die Weile a while
der Wein, -e wine
weinen cry, weep
die Weise, -n manner, way; tune, song
weitergehen, i, a go further, continue, keep walking, move on
der Welfe, -n Welf (Guelf)
die Welle, -n wave
wellenatmend breathing waves
sich wenden, a, a turn, turn around
wenn . . . auch even if
wert worth, worthy, precious
der Wetterschein, -e flash of lightning
der Wicht, -e rough fellow
wie . . . auch no matter how
wiederklingen, a, u echo
wiehern neigh
willig willing
willkomm(en) welcome
sich winden, a, u writhe
winken beckon, give a sign, signal
der Wirbel, — eddy, whirlpool
der Wirbelwind, -e whirlwind
die Wirtin, -nen woman innkeeper
wischen wipe
wittern scent, smell
die Witwe, -n widow
der Wochenlohn weekly pay
die Woge, -n wave
wogenleer emptied of waves
wohl well; indeed, certainly; safely; often used in ballads merely as a poetic "filler"
wohlig pleasant, comfortable, happy

wohltun, a, a do well, treat well
die **Wolke, -n** cloud
die **Wonne, -n** supreme joy
der **Wuchs,** ⁓e figure, shape
die **Wunde, -n** wound
das **Wunder,** — miracle, marvel
wunderbar wonderful, marvelous, wondrous (to behold)
das **Wunderhorn** magic horn
wundersam strange, haunting
wunderschön wondrously fair
wüst deserted, desolate
wüten rage
wütend violent, raging, furious
wütig furious, mad, crazed

Z

zählen count
der **Zahn,** ⁓e tooth
zart fine, delicate
zärtlich tender
der **Zauberblick, -e** enchanting sight, magic spell
die **Zauberei** sorcery, witchcraft, magic
die **Zauberin, -nen** sorceress, enchantress
der **Zauberkreis, -e** magic circle
der **Zauberstab,** ⁓e magic wand
der **Zecher,** — drinker, carouser
die **Zelle, -n** cell
zerbrechen, (i), a, o break to pieces
zerdeuteln misinterpret
zerdrehen twist
zerraufen tear
zerren pull down, handle roughly
zerringen, a, u wring (in despair)

zerschellen be dashed to pieces
zerschlagen, (ä), u, a beat; destroy
zerspellen split apart
zersplittert splintered
zersprengen burst, smash
zerspringen, a, u burst, fly into pieces
ziehen, o, o pull; go, move; march **nach sich** — have as a consequence, engender
die **Zirbeldrüse, -n** pineal gland (an appendage of the brain)
zischen hiss
zitieren summon, call into court
zittern quiver, tremble, shake
der **Zorn** anger, wrath
zubinden, a, u blindfold
zubringen, a, a spend (time)
zucken flash (of lightning); twitch, writhe with pain
zudecken put back
der **Zug,** ⁓e facial feature, facial expression, mien; train; column, ranks
der **Zügel,** — reins
zugleich at the same time, along with
zumal = **allzumal** all at once
zünden light, kindle
der **Zünder,** — tinder
die **Zunge, -n** tongue
sich **zurückbäumen** rear back
zurückkehren return
zurücklehnen lean back, stand back
zurückschlagen, (ä), u, a draw back, throw back
zusammentreffen, (i), a, o meet again
zuschanden bringen, a, a ruin
der **Zwinger,** — cage
zwitschern chirp